554485

BONYMAEN

Maes yr El
Croeserw
CCP5/83

D1612973

|

2000239959

NEATH PORT TALBOT LIBRARIES

HYFRYDLAIS LEILA MEGANE

HYFRYDLAIS
LEILA MEGANE

Megan Lloyd-Ellis

Gwasg Gomer
1979

Argraffiad Cyntaf - Awst 1979

ISBN 0 85088 851 4

Dymuna'r cyhoeddwyr gydnabod cymorth a chyfarwyddyd Adrannau'r Cyngor Llyfrau Cymraeg a noddir gan Gyngor Celfyddydau Cymru.

Argraffwyd gan J. D. Lewis a'i Feibion Cyf.,
Gwasg Gomer, Llandysul, Dyfed.

Cyflwynedig

i

HUW

FFYNONELLAU A CHYDNABYDDIAETH

Ysgrifennodd Leila Megane fraslun o hanes ei bywyd ei hun, ac fe'i hadroddodd rai blynyddoedd wedyn wrth Mrs. Betty Roberts, Pwllheli. Fe'i cyhoeddwyd yn Saesneg yn wythnosol yn y *Caernarvon and Denbigh Herald* fesul pennod gyda lluniau, ddiwedd y flwyddyn 1955. Cedwir yr hanes hwn ar gof a chadw mewn *microfilm* yn Salt Lake City, Utah. Cafwyd caniatâd ei merch Mrs. Isaura Osborne Hughes, Pwllheli i ddefnyddio'r hanes at bwrpas y llyfr hwn, ac yr ydym yn ddyledus iawn iddi am ei charedigrwydd a'i chymorth.

Cafwyd llawer o hanesion difyr gan gydnabod a gwahanol aelodau o'r teulu, ac ystorïau lawer gan ei brawd, y diweddar Gapten T. R. Jones, Morfa Nefyn.

Bu Mr. Peleg Williams yn barod iawn i gyfrannu, a hefyd Mr. Ritchie Thomas, Penmachno.

Carwn ddiolch o galon i bawb am bob cymorth ynglŷn â'r gwaith, ac i Wasg Gomer am ei hamynedd a'i hynawsedd. Myfi fy hun sy'n euog o bob bai ac anghywirdeb sydd yn yr hanes, ond bûm deyrngar i'r gwrthrych, a didwyll.

Megan Lloyd-Ellis

CYNNWYS

PENNOD 1

Cefndir a Bore Oes

Yn Ynys Môn yr oedd gwreiddiau Leila Megane. Ganwyd a magwyd ei mam yn Rhosucha ger Llangefni. Ymfudodd llawer o dylwyth Jane Owen i America, ac yno mae eu disgynyddion heddiw. Dynes dawel a thra sensitif ydoedd hi, o faintioli cyffredin, ac o bryd a gwallt golau. Ni chafodd lawer o addysg ffurfiol, ond fe'i cynysgaeddwyd â dogn helaeth o synnwyr cyffredin cryf. Ychydig iawn o'r iaith Saesneg a wyddai, a phrin ei geirfa i siarad fawr ohoni, ond nid oedd hynny o fawr bwys yn y dyddiau hynny, gan mai Cymraeg oedd iaith yr aelwyd a'r stryd.

'Roedd ei chariad a'i gofal yn fawr am ei gŵr a'r teulu. Bu iddi ddeg o blant, ond bu farw tri ohonynt yn fabanod. Leila Megane oedd y seithfed plentyn, ond mor anymwybodol oedd y fam am y dyfodol disglair a oedd yn disgwyl yr eneth fechan hon, a direidi iach yn dawnsio fel sêr y bore yn ei llygaid.

Gwraig ddiwyd ydoedd, ac yn ymgymryd â mân oruchwylion y tŷ yn drefnus a deheuig. Ei harwyddair oedd, "ei le i bopeth a phopeth yn ei le". Plannodd yr egwyddor hon yn ei phlant yn gynnar iawn, onid aeth yn rhan o'u natur.

Yn ei barn hi nid oedd gormod o addysg yn llesol, yn enwedig i ferched. Credai y dylent hwy ganolbwyntio ar y wyddor o gadw tŷ yn ei holl agweddau. Yr oedd hi'n fedrus odiaeth gyda nodwydd ac edau. Gwnâi y rhan fwyaf o ffrogiau'r genethod ei hun, ac yn naturiol datblygodd yr elfen hon ynddynt hwythau. A gofalai fod ei phlant yn ymddangos yn lân a destlus bob amser. Er na fu hi erioed ymhell o'i chynefin i sylwi ar y dulliau cyfoes o addurno ei chartref, 'roedd ganddi reddf gynhenid i osod pethau yn artistig o'i chwmpas, ac yn bwysicach na dim medrai roddi awyrgylch hapus a chysurus i'r aelwyd.

Mab Cae-Ifan, tyddyn nid nepell o Bentraeth oedd Thomas Jones, y tad. Er mai amaethu yn bennaf oedd galwedigaeth ei hynafiaid, ymwadodd ef â galwad y pridd, ac ymuno â Heddlu Sir Gaernarfon. Hoffai ddweud dan chwerthin nad oedd eisiau dysg a gwybodaeth i fod yn blisman y dyddiau hynny. Taldra a maint y corff oedd yn cyfrif, a phâr o draed mawr i sefyll arnynt. Ond yr oedd ef yn gymeriad uchelgeisiol, a gafaelodd ar bob cyfle i'w ddiwyllio'i hun. 'Roedd yn bleser ganddo gynorthwyo'i blant gyda'u gwaith ysgol, canys dysgai lawer ei hun trwy wneuthur hynny. Darllenai'n helaeth, a myfyrio uwch cwestiynau astrus cyfraith y dydd. 'Roedd ganddo ddylanwad mawr ar y werin bobl, ac yn barotach i gynghori nag i gosbi. Perchid ef gan wreng a bonedd. Yr oedd yn swyddog doeth a diduedd ac yn uchel yn ffafr y Pencadlys.

Wedi bod am ysbaid byr yn gwnstabl crwydrol yn ôl arfer y cyfnod, sefydlwyd ef yn Nefyn, pentref bywiog a phwysig iawn ym Mhen Llŷn, gyda'i ddiwydiant pysgota a phorthladd prysur Portin-llaen yn ei gysylltu â'r byd mawr tu draw i'r gorwel. Yn ddiweddarach fe'i penodwyd i swydd Siarsiant ym Methesda, Arfon. Yr oedd y dreflan honno yn lle diwyd yn y cyfnod hwn gyda gwaith y chwareli llechi yn ffactor ddylanwadol yno. Prin oedd cyfanswm y cyflogau, er bod y gwaith yn drwm a pheryglus a'r oriau'n hir, a llafuriai'r dynion yn fynych ar gythlwng hanner gwag. Nid rhyfedd fod angau sydyn yn aml, ac afiechyd yn rhemp yn cerdded yr heolydd.

'Roedd hi'n sialens fawr i'r Siarsiant ifanc i fentro yno, ond yn ei ffordd ddiymhongar ef ei hun cyflawnodd ei ddyletswyddau yn deg a didwyll. Enillodd barch ac edmygedd y fro, er iddo brofi anghydfod chwerw ymhlith y gweithwyr a rhwng y gweithwyr a'r penaethiaid. Ymdeimlai â'r anniddigrwydd cyson a oedd yn ymdonni dan yr wyneb, oblegid iddo ef yr oedd y gweithiwr a'r gwladwr tlotaf a mwyaf distadl yr un mor barchus â'r bobl fawr a breswyliai ym Mhlas y Penrhyn. Carai ei gyd-ddyn yn angerddol a hoffai adrodd un o ddywediadau cynnar y gwladweinydd enwog o Gricieth: "Y mae pob dyn yn deilwng o bethau gorau'r byd hwn".

Ganed Leila Megane Ebrill 5ed 1891 yn ystod yr amser y bu'r teulu'n byw ym Methesda. Bedyddiwyd hi'n Margaret, ond troes y Margaret yn Maggie ar lawr yr aelwyd. Pan gychwynnodd ar ei bywyd proffesiynol y rhoddwyd iddi'r enw

Leila Megane, ac wrth yr enw swynol yma y cofir amdani heddiw.

Dyrchafwyd y Siarsiant Thomas Jones ymhen amser yn Arolygydd yr Heddlu, a symudwyd ef i Bwllheli. Yr oedd Maggie fach yn dair oed ar y pryd, ac yn Nhŷ'r Polîs yn Ffordd yr Ala felly y treuliodd hi ei phlentyndod. Ym Mhwllheli hefyd y cafodd ei haddysg, ac oddi yma y lledodd yr eos ieuanc ei hadenydd a mentro i'r byd mawr y tu allan.

Nid oedd ball ar nwyfiant a hwyl Leila Megane yn nyddiau ei phlentyndod, ac yn fynych 'roedd hi'n ddiafol bach mewn croen. Ei phleser mwyaf oedd chwarae gyda'r hogiau,—ei thri brawd, Willie, John a Tom. Oherwydd bod ei chwiorydd dipyn yn hŷn na hi, teflid hi yn naturiol i gyfeillachu mwy gyda'i brodyr. Dysgodd eu triciau, a mynnu nid yn unig eu hefelychu ond yn aml iawn eu trechu. Ceisiodd ei thad bâr o esgidiau hoelion pennau-mawr iddi a bygythio y prynai drywsus melfaréd iddi hefyd os na laciai gyda'r chwaraeon bachgennaidd. Ie, tipyn o domboi ydoedd. Llamai ar gefn beic a'i farchogaeth gystal â'r un hogyn, a gwneud y campau mwyaf syfrdanol arno. Un orchest oedd gyrru i lawr gallt gydag un droed ar y sedd a'r llall ar y llyw, gan ofalu gwisgo esgidiau ysgafn i wneud hynny. Aml godwm a gafodd ond nis hidiai: 'roedd y pleser a gâi yn gorbwyso hynny. I wneud hyn rhaid oedd iddi gadw ei chydbwysedd a chadw'i phen, a bu meistroli'r gamp yn gymorth iddi ymhen blynyddoedd wedyn wrth actio mewn operâu ar wahanol lwyfannau'r byd. Cafodd ei dwrdio'n fynych am ryfygu fel hyn. Ni ddeuai'r castiau hyn i glustiau ei thad, canys buan y dywedai ef y drefn, ac ni fynnai hi ei groesi ef mewn unrhyw fodd.

Medrai ddringo coed fel wiwer, ac ymfalchïo o fedru cyrraedd y brigyn o flaen ei brodyr. Pan ddeuai'r gwanwyn cymerai ddiddordeb mawr mewn chwilio nythod adar. Dysgodd adnabod y gwahanol fathau o adar a daeth i wybod eu harferion. Cenfigennai wrth ei brawd iau pan gafodd ef bresant o ddwy golomen gan gymydog.

Yr adeg yma yr oedd Tŷ'r Polîs ym Mhwllheli yn breswylfod i'r Arolygwr a'i deulu. Perthynai iddo gegin fawr, cegin fach, a pharlwr, swyddfa, ystafell lys yr ustusiaid, pedair cell gosb a'r llofftydd arferol. Hyd yn oed yn y cyfnod hwn 'roedd cyfleusterau dŵr wedi eu gosod yn y tŷ, ond nid ychwanegwyd ystafell ymolchi. Felly bob nos Sadwrn cludid y twb golchi mawr o flaen tân eirias yn y gegin, i'r plant fynd iddo bob un yn ei dro. Goleuid y tŷ drwyddo gan nwy, a bu dweud y drefn yn arw wrth Maggie fach ddireidus am iddi chwerthin pan ddeifiwyd plu estrys ar het un o wragedd sydêt y dre a ddaethai yno i ymweld, oherwydd iddi fynd yn rhy agos i'r fflam wen.

Deuai dynes o'r dref, Mrs. Turner, i lanhau'r ystafelloedd a berthynai i fusnes y gyfraith, megis y swyddfa, ystafell y llys, a'r celloedd. O'i gweld un bore oer yn prysur sgwrio'r llawr, gyda'i dwylo'n goch a garw o fod beunydd yn y dŵr a sebon, llanwyd Maggie â thosturi anesboniadwy. Digwyddai fod ganddi ddwy o felysion yn sbâr, a rhoes y cwdyn i Mrs. Turner. Nid anghofiodd fyth ei gwedd a'r llygaid yn llawn dagrau wrth iddi sychu ei dwylo yn ei ffedog fras cyn cymryd yr offrwm gyda diolch mawr. Mae'n rhaid na feddyliodd fod calon mor garedig a meddal gan yr eneth fach nwyfus a branciai i fewn ac allan o'r tŷ fel merlen mynydd. "Bendith arnoch chi, 'mechan i," meddai, "am eich caredigrwydd i hen wraig fel fi." "O," ebr Maggie, "'rwy'n eich hoffi chwi yn fawr iawn." Rhannodd ei melysion droeon gyda'r hen ledi weithgar hon. Ond prin oedd y ceiniogau, a'r cadw-mi-gei yn cymryd amser maith i'w lenwi. Ar dro deuai ffermwr cefnog neu ŵr bonheddig o'r wlad i weld y 'Super', a châi gil-dwrn bach slei ganddynt os digwyddai hi fod o gwmpas.

Ar dywydd eithafol o oer ac annifyr chwaraeai'r plant yn y tŷ, a phan flinent ar gemau fel *Snakes and Ladders* a'u tebyg, caniateid iddynt a rhyw nifer bach o'u ffrindiau ddefnyddio'r llys-ystafell i chwarae. Lle da oedd y fan honno ac yr oeddynt wrth eu bodd yn rhoi ffrwyn i'w dychymyg a chreu'r ystrywiau rhyfeddaf. Byw iawn ym meddyliau'r bobl yr adeg honno oedd Rhyfel Transvaal neu ryfel y Boëriaid a pha le gwell i'w bortreadu na'r ystafell honno gyda'i galeri hir yn rhedeg o un pen i'r llall? A dyna lle'r oedd brwydro ffyrnig rhwng y Prydeinwyr a'r gelynion. Yn fynych iawn actiai un o'r cwnstabliaid fel refferi. Yr oedd Maggie yn filwr ymroddedig yn yr ysgarmesoedd hyn. Iddi hi, 'roedd dynwared nyrs o'r

Maggie Jones (Leila Megane) y tu allan i Dŷ'r Polîs, Pwllheli

Groes Goch, neu ryw fath o Florence Nightingale, yn rhan rhy ddiniwed i'w hysbryd afieithus. 'Roedd gormod o bupur yn ei gwaed.

Rhoddai ei doliau gysur iddi ar dro, pan flinai ar chwarae gyda'r hogiau. Canai iddynt hen rigymau cyfarwydd ac ambell bwt o emyn, gan fodio'r hen harmoniwm yn gyfeiliant. Yr oedd ffidil ganddi hefyd ond ni fedrai drin honno namyn tynnu'r seiniau mwyaf aflafar allan ohoni. Pwrcaswyd piano ymhen amser, a bu hwn yn ffefryn o'r funud gyntaf.

O gwmpas troad y ganrif 'roedd y ffeiriau pen-tymor yn achlysuron poblogaidd iawn,—Ffair Calan Mai a Ffair Calan Gaeaf. Diwrnod Ffair oedd dydd pwysicaf y flwyddyn i weision a morwynion y ffermydd, oblegid amaethyddiaeth oedd yr unig ddiwydiant o bwys ym mharthau Llŷn ac Eifionydd, ac ar fferm y gwasanaethai y mwyafrif o'r genhedlaeth. Ffair ben-tymor oedd adeg cyflogi gwas neu forwyn am yr hanner blwyddyn ddilynol—penodid y gyflog a rhoddai'r meistr ernes o swllt, deuswllt neu hanner coron fel cil-dwrn i gloi ac anrhydeddu'r fargen. Tyrrai gwŷr a gwragedd, bechgyn a merched i'r dref wrth y cannoedd, a phob un yn eu gwisgoedd gorau er mwyn creu argraff dda. Manteisid ar y cyfle gan bobl y Ffair i ddod â'u stondinau amrywiol i'r maes a hudo'r ychydig sofrenni aur cyflogau'r pen-tymor i'w codau hwy eu hunain.

Achosion bythgofiadwy oedd y ffeiriau i blant y dref a'r ardal, ac fel pob un arall 'roedd Maggie wrth ei bodd. Wrth loetran o stondin i stondin, gwelai ryfeddodau, oblegid dangosid pob math o nwyddau yno, o bob lliw a llun. Gwerthid *Indian Rock* wrth gwrs o bob maint mewn gwyn a choch gydag enw Pwllheli wedi ei brintio drwyddo, a'r un poblogaidd brown, *Rock Number 8 Llannerchymedd*. Ac yr oedd amryw o'r stondinau hapchwarae, a'r gwobrau deniadol yn tynnu dŵr o'r dannedd. Ond ychydig iawn o'r cystadleuwyr a enillai ddim o werth, er bod rhai o'r bechgyn yn gampwyr ar daflu'r peli. 'Roedd y ddynes dweud-ffortiwn yno hefyd, mewn pabell liwgar. Teimlai Maggie fod rhyw ddirgelwch rhyfedd ynglŷn â'r babell hon. Ni fynnai hi fynd i mewn,—'roedd tipyn o arswyd arni yn ei dal yn ôl rhag mentro i'r hanner gwyll, ond cafodd gip ar y ddynes,—un dal a llathraidd o bryd tywyll a'i gwallt fel nos ar ei phen gyda dau lygad yn serennu ac yn syllu drwy rywun. Gwisgai mewn sidanau du ac ysgarlad a llwyth o dlysau yn disgleirio am ei gwddf a'i breichiau, a thorchau euraid trymion yn hongian o'i chlustiau. Clywodd Maggie bregethwr yn sôn ryw dro am ddewines Endor, a holai tybed a oedd hon o linach honno? Fodd bynnag, tyrrai'r merched ieuainc ati. Brasgament i mewn i'r cysegr tywyll a dod allan â gwên hapus ar eu hwynebau. Ar y ceffylau bach yr hoffai Maggie fynd. Cadwai draw oddi wrth y stondinau a werthai y gynnau chwystrellu dŵr. Ni welai asbri o gwbl yn hyn o beth.

O fore bach tan hwyr y nos 'roedd yr hwyl a'r berw yn parhau. Ymhell wedi noswylio daliai'r twrw i gyrraedd clustiau Maggie, sŵn lleisiau croch erbyn hyn a chwerthin uchel, ac ambell glep sydyn ar ddôr un o'r celloedd. Sylwai hithau fod pob cell yn llawn ar ôl noson Ffair, a bu rhaid i'w thad egluro iddi mai'r ddiod feddwol oedd yr achos am hyn. Dysgodd iddi wers nas anghofiodd byth, am y boen a'r ddamnedigaeth a ddaw o anghymedroldeb.

Ymwelai'r Syrcas â'r dref ar ei chylchdaith flynyddol. Carodd Leila Megane anifeiliaid ar hyd ei bywyd, ac fel ffafr arbennig iawn câi fynd yn llaw ei thad i weld yr eliffant a'r mwnci, y llew a'r arth yn cael eu bwydo. Yr uchafbwynt oedd mynd i'r babell fawr a'r seindorf yn chwarae, a gweld campau acrobatig y gwŷr a'r genethod, ac i goroni'r cwbl yr anifeiliaid yn mynd drwy eu triciau hwythau.

Pan oedd Leila Megane yn wyth oed, yn boenus o sydyn aeth yr haf o ffurfafen ei bywyd. Bu farw ei mam. Un a deugain oed oedd Jane Jones pan gollodd y dydd ar enedigaeth baban marw. Bu'n brofiad ysgytiol i Maggie fach. Mewn amrantiad troes yr aelwyd hapus yn oer a digalon. Methai yn lân esbonio'r digwyddiad. 'Roedd ei chwiorydd yn wylo'n chwerw. Yr oedd yn dda fod Kate Prince yno i helpu gofalu am y plant lleiaf, ac erbyn hyn wedi dod yn gyfarwydd a hylaw gyda gorchwylion y tŷ. Eglurodd ei thad i Maggie yn dyner a dwys fod ei mam wedi mynd at Iesu Grist oherwydd ei bod wedi blino. Digiodd hithau wrth Iesu Grist am ddwyn ei mam oddi wrthynt. Ni wyddai hi ystyr marw ac aeth ei thad â hi i weld ei mam yn yr arch. Synnodd hithau ei gweld yn gorwedd mor brydferth yno, ac meddai wrth ei thad, "Dim ond yn cysgu mae hi, tada, mae hi siŵr o ddeffro toc. O, pam na wnaiff hi agor ei llygadau." Eithr gwnaeth gweld ei mam felly liniaru llawer ar hylltra angau iddi yn gynnar yn ei bywyd.

Wynebai Thomas Jones broblem arteithiol wedi colli ei gymar. Gwnaeth adduned iddi yr edrychai ar ôl y plant yn y modd gorau posibl, ond mor wag oedd ei chadair ar yr aelwyd ac wrth y bwrdd bwyd. A'r gri o hyd oedd,—"Nid felly oedd mam yn gwneud," neu "'Roedd mam wedi addo'r peth a'r peth."

Ar ysgwyddau Kate, y ferch hynaf, y disgynnodd y fantell o chwarae mam i'r plant lleiaf. Ymserchodd Maggie fach fwyfwy yn ei thad, ond hiraethai'n angerddol ar ôl ei mam. Breuddwydiai'n gyson amdani, a'i gweld yn edrych arni a'i hwyneb mwynlan yn llawn pryder. Nid oedd arswyd hyn o gwbl arni. Ond 'roedd ei thad yn poeni llawer yn ei chylch. Brigodd y gynneddf seicig ynddi yn gynnar, a bu hyn yn amlwg ynddi gydol ei bywyd. 'Roedd breuddwydio am ei mam, a'i gweld megis drwy hun, yn falm i'r clwyf o'i cholli, ac yn lleddfu'r teimlad brawychus a gafodd o weld yr arch yn cael ei rhoi a'i gadael mewn ceudwll du yn y ddaear, a phawb mewn dillad duon. Hwyrach mai'r atgofion annymunol hyn a wnaeth iddi flynyddoedd lawer yn ddiweddarach gasáu'r arfer o wisgo 'mwrnin' mewn cynebryngau. Tybiai hi mai cymorth oedd hyn i droi'r gyllell yn y briw. Pwysleisiai hefyd mai camgymeriad oedd dwyn plant i lan y bedd mewn angladd.

Âi Maggie i Ysgol Troed-yr-allt, fel y gelwir yr Ysgol Gynradd ym Mhwllheli. Nid oedd yn ddisgybl gor-ddisglair, ond apeliai ambell destun ati yn fwy na'r lleill. Allan yn yr iard neu yn y dosbarth yr oedd hi'n berffaith abl i ofalu amdani ei hun. Nid oedd hi'n mynd i ddioddef cam a chael ei sathru, ac nid oedd am weld un o'i ffrindiau yn cael anghyfiawnder ychwaith. Brathodd law un athrawes unwaith rhag iddi daro geneth a eisteddai yn ei hymyl ar y fainc, a thynnodd wallt un arall mor ddidrugaredd fel y dygwyd cŵyn yn ei herbyn o flaen ei thad. A bu rhaid iddi ei hamddiffyn ei hun yn wyneb y cyhuddiad. Gwnaeth hithau hynny heb ildio modfedd, ac yn y fath ysbryd fel y cafodd faddeuant yn syth. A daeth y gwirionedd i'r golwg,—dwy o ferched i reolwyr yr ysgol a haeddai'r gosb, ond 'roedd yr athrawes wedi gwylltio gymaint fel 'roedd yn rhaid iddi ddial ar rywun, a Maggie Jones a ddigwyddodd fod yn llinell y gynddaredd.

Braidd yn wan ei hiechyd oedd hi'n eneth fach. Dioddefai'n aml o ddolur gwddf, a châi lefrithenod ar ei llygaid fyth a beunydd. Bu'r brifathrawes, Miss Griffiths, yn garedig iawn wrthi droeon, yn gofalu na chaniateid iddi sefyll ar ei thraed yn hir yn y cylch darllen neu mewn gwers o flaen y bwrdd du, ac yn ei galw hi o'r neilltu yn fynych am wydraid o lefrith a chacen. "Peth bach," meddai'r athrawes yn gydymdeimlad i gyd, "mae hi wedi colli ei mam."

Pendronai ei thad lawer am ei dyfodol, oherwydd ychydig iawn o swyddi a agorai i ferched yr oes honno, ac nid oedd hithau wedi ei donio i fod yn nyrs fel Polly ei chwaer, nac yn wniadwraig yr un fath â Jeanie. Ni wyddai pa gwrs oedd orau iddi ddilyn ar ôl gadael yr Ysgol Ramadeg.

Yr oedd tre Pwllheli yn lle difyr a bywiog dros ben ar ddechrau'r ganrif, adeg mebyd Leila Megan. Deuai twristiaid yma o bell ac agos, a threfnid pob math o adloniant ar eu cyfer. Dyma'r cyfnod pan oedd Solomon Andrews, yr arloeswr mentrus o Gaerdydd, yn tywallt ei ddawn a'i adnoddau i ddatblygu'r lle. Mae llawer o bobl yn dweud mai dyma oes aur Pwllheli. Edrychai'r trigolion ymlaen yn eiddgar at wyliau haf, a gweld yr ymwelwyr yn tyrru yma. Deuai teuluoedd cyfoethog gyda'u gwasanaethyddion a chymryd meddiant o'r tai mawr ar rodfa'r môr, ac aros yno am bythefnos neu fis. Gerllaw yr oedd maes eang i chwarae golff, cae chwarae i blant a maes mawr arall i ymarfer pob math o adloniant a chynnal mabolgampau amrywiol. O gylch hwn rhedai trac i rasus beiciau, y gorau yn y wlad mae'n debyg. Bu rhai o sêr amlycaf y dydd yn chwarae yma fel Dorothy Round, pencampwraig tenis y dydd, i enwi ond un.

Ym mis Awst nid oedd diwrnod yn mynd heibio nad oedd Maggie a'i chyfoedion ar lan y môr yn gwylio'r bobl fawr hyn yn eu mwynhau eu hunain. Pleser digymysg oedd mynd ar y tram bach dros y twyni tywod i Lanbedrog, ac ymweld â Phlas

Glynyweddw lle'r oedd oriel ddarluniau, ac oedi weithiau i gael te yn y gerddi.

Ar y traeth yr oedd rhesi o gytiau ymolchi, ac ar fin y tonnau nifer o gychod pysgota. Perthynai y mwyafrif o'r rhain i Miss Clark, dynes fusnes graff a chanddi siop bysgod lewyrchus iawn ar sgwâr y dref. Bu Maggie fel y plant eraill ar fordeithiau bach yn y cychod hyn, ond wedi'r trychineb hwnnw ym môr 'South Beach' collodd ei nerf ac ni fynnai roi troed mewn cwch wedyn. Boddwyd tri ar ddeg o bobl, yn blant ac oedolion, pan droes eu cwch pleser wyneb i waered nid nepell o Garreg yr Imbyll. Wedi dod am ddiwrnod o fwynhad a seibiant i Bwllheli yr oeddynt. Gwaethygodd y tywydd a chodi o'r gwynt, ac oherwydd hyn cynghorwyd hwy i beidio ag anturio i'r môr a neb ohonynt yn gallu nofio. Ond mynd a fynnent. Gwnaeth Owen Hughes y cychwr ei orau glas i'w hachub ond methodd. Yr oedd Maggie ymhlith y dyrfa a gasglodd yn sydyn i'r fan, a gwelodd ei thad yn rhoi'r 'cusan bywyd' i ferch fach, ond amhosibl fu adfer ei bywyd. Golygfa drist oedd rhes o eirch mewn ystafell yng Ngwesty 'South Beach'. Yn fuan iawn lluniwyd y stori fod ysbrydion yr ymadawedig yn cyniwair yn y Gwesty.

Oblegid ei magu mewn Tŷ Polîs cafodd Leila Megane lawer cipolwg ar fywyd yn ei gignoethni a'i hagrwch. Yn ymyl yr oedd Tŷ'r Tlodion—y Wyrcws. Yn ôl arfer y dyddiau hynny deuai llu o grwydriaid yno i fwrw'r nos, yn enwedig yn y gaeaf. Ond yr oedd yn anghenraid iddynt gael trwydded gan y polîs cyn cael mynediad a llawer gwaith y bu Leila Megane, wedi iddi dyfu'n ddigon hen, yn llenwi'r ffurflenni hyn. O orfod sylwi'n fanwl felly ar y trueiniaid hyn datblygodd y gynneddf o graffu yn gryf ynddi, a hefyd y ddawn i adnabod personoliaeth. Yr oedd un neu ddau o bobl yr ymylon yn ddrwgweithredwyr a chedwid aml un ohonynt yn y ddalfa am eu troseddau. Cofiai Leila Megane yn arbennig am un llofrudd a fradychwyd oherwydd bod am ei draed ddwy esgid chwith! Beth a achosodd iddo gyflawni'r fath amryfusedd, ni wyddai neb, ond bu'r arwydd hyn yn ddigon i brofi ei euogrwydd. 'Roedd llun ei bâr esgidiau croes yn y pridd y tu allan i safle'r anfadwaith. Gwnaeth hwn ei orau i gael ganddi agor drws haearn y gell iddo, siaradai â hi mewn geiriau teg, a sôn fel yr hoffai ei chlywed yn canu, ond siarsiwyd hi gan ei thad i'w lwyr anwybyddu gan ei fod yn gymeriad mor ddrwg. Sylwasai hithau mor rhyfedd ei lygaid, llygaid aflonydd, gwibiog, fel anifail yn cael ei hela.

Tosturiai hi wrth breswylwyr y Wyrcws, a diolchai mor ffodus oedd hi o gael cartref cysurus gyda'r teulu o gwmpas, yn rhydd i fynd a dod fel y mynnent. Yr oedd rhai ohonynt yn benwan, ond y mwyafrif yn hen a heb geiniog yn y byd. Yr oedd yno nifer o blant hefyd, a mynychent hwy ysgolion y dref a chydgymysgu â'r plant mwy ffodus.

Ar dro clywai am achosion a ddygid ger bron y llys. Cyhuddwyd rhieni o ganol Pen Llŷn o gam-drin eu plant. Yr oeddynt ill dau ymhell o fod yn normal. Daethpwyd â'r plant fel ag yr oeddynt o flaen yr ustusiaid, mewn cist de a'r baban mewn caead trwnc teithio. Yr oedd eu stad tu hwnt i'r un disgrifiad, a llewygai pobl yn y llys gan ffieiddied yr aroglau. Aethpwyd â hwynt i'r Wyrcws. Bu farw'r baban yn fuan ond achubwyd y ddau fachgen. Dysgasant siarad ac ymhen amser aethant i'r ysgol. Gwnaeth gweld y wedd yma o'r natur ddynol argraff annileadwy ar feddwl Leila Megane.

'Roedd i'r capel ran bwysig iawn yn nhwf a datblygiad bechgyn a merched ieuainc yr oes honno. 'Roedd pob capel yn llawn a dylanwad Diwygiad 1904-1905 yn drwm yn y fro. Mynychai teulu'r Arolygydd Jones gapel Salem M.C. ac eistedd mewn sedd yn y llofft.

Rhwng yr Ysgol Sul, gyda'i arholiadau ysgrythurol blynyddol, y Gobeithlu a'r Gymanfa Ganu cedwid y plant yn brysur iawn. Ac yr oedd Maggie yn ei helfen yng nghanol y mynd a'r dod, a'r paratoi at hyn a'r llall. Yn yr haf trefnid gwibdeithiau, a braf oedd teithio mewn cerbyd a chwech o geffylau yn ei dynnu. Caent fynd ar y trên i Aberystwyth, ac yr oedd hyn yn amheuthun. Cymerai hyn rai oriau. Tipyn yn ofnus oedd Maggie wrth fynd dros bont Mawddach a gweld y tonnau yn chwalu o gwmpas y trên. Daliai ei gwynt gan ddiolch i Dduw'r Ysgol Sul am wneud yr hynt yn ddiogel. Yr oedd hi'n sensitif iawn i beryglon o bob math, a'i dychymyg byw mor barod i greu melodrama gyffrous.

Yn y gaeaf yr oedd penllanw gweithgareddau'r capel.

Trywanai llewyrch ffenestri'r festri y tywyllwch ymron bob nos o'r wythnos. Nid oedd sôn am glwb na sinema yn y dyddiau hynny, ac i'r plant a godwyd yn y capel, y festri oedd canolbwynt eu horiau hamdden. Perfformid ambell ddrama grefyddol, ond prin iawn oedd llenyddiaeth o'r fath. Yn yr awyrgylch syml a dirodres yma y treuliodd Leila Megane ei phlentyndod a blynyddoedd ei harddegau.

PENNOD 2

Yr Hyfrydlais

Rhoddid bri mawr ar y Gymanfa Ganu yng Nghymru ddechrau'r ganrif. Hyfforddid y plant a'r bobl ifainc yng ngwyddor elfennol cerddoriaeth, ac nid oedd yr un festri heb y modylydd ar y pared, gyda'r canlyniad fod to ar ôl to o blant wedi eu codi â medr i ddarllen y 'Tonic Solffa'. Dyma'r cam cyntaf i Maggie Jones ar ei rhawd gerddorol. Edrychai ymlaen yn fawr at y Gymanfa Ganu, ac am y cyfle i glywed y côr yn canu'r anthem.

Sylwodd ei thad ar yr hoffter hwn a'i nodweddai, a phenderfynodd drefnu iddi gael gwersi chwarae piano. Yr oedd ganddi gryn feddwl ohoni ei hun wrth afael yn ei 'sgrepan-gerddoriaeth ledr newydd, ac i ffwrdd am ei gwers gyntaf at Miss Winnie Gabriel Jones, organyddes Salem. Dysgodd ddarllen yr Hen Nodiant, fel bod ganddi 'grap ar y llythrenne', chwedl Tomos Bartley, mewn 'Tonic Solffa' a Hen Nodiant yn bur gynnar yn ei bywyd. Cymerai at gerddoriaeth fel hwyaden at ddŵr.

Yn y flwyddyn 1907 pan oedd hi tuag un ar bymtheg oed penderfynwyd cynnal cyngerdd yng nghapel Salem i ddathlu Gŵyl Ddewi, a mawr oedd y paratoadau ymlaen llaw. Rhaid oedd dysgu gweithiau newydd i'r côr, a threfnid rihyrsal ar ôl rihyrsal, fel y gwyddai pob aelod ei ran. Ni chollai Maggie yr un ohonynt. Dewiswyd hi yn unawdydd er syndod mawr i bawb. Digon anfodlon oedd ei thad, oherwydd gwyddai mai prin iawn oedd ei gwybodaeth o unawdau pwrpasol, ac ni fynnai iddi fod yn destun gwawd. "O," meddai hithau yn llawn hunanhyder, "'rwy'n gwybod 'Gwlad y Delyn' heb gopi." O weld ei phenderfyniad a'r apêl yn ei llygaid, cydsyniodd yntau. Bu am oriau hir ar ei phen ei hun yn ymarfer y gân, gan geisio rhoi cymaint o ystyr ac o angerdd ynddi ag a fedrai, ond yr oedd duwiau ffawd wedi ymgynnull i'w noddi a rhoi grym i ddiniweidrwydd ei gweithgarwch.

Daeth y noson fawr, a'r capel yn orlawn. Edrychai'r côr yn olygfa hardd, gyda'r merched yn eu gynau gwynion a rhubanau unlliw'r genhinen yn eu haddurno. Galwyd ar Maggie Jones o'u mysg i ganu unawd. Yn dawel-hamddenol, ac yn hollol hunanfeddiannol camodd hithau i ganol y llwyfan, ac ar yr un pryd gerdded i galon y gynulleidfa. Dyma'r tro cyntaf iddi ganu'n gyhoeddus o ddifrif, ac yr oedd pawb o'r gynulleidfa â chanddo glustiau i wrando a llygaid i ganfod yn sylweddoli fod talent arbennig iawn wedi ymddangos yn eu plith.

O bob cyfeiriad clybu'r tad hanes y cyngerdd, a'r argraff a greodd ei ferch Maggie. Ymfalchïodd yntau, a phenderfynu'n syth fynd â hi at John Williams, Caernarfon, i gael dysgu ymarfer cynhyrchu llais. Deuai ef i Bwllheli unwaith yr wythnos, a chymerai ddisgyblion ato i'r ystafell a logasai at y pwrpas uwchben siop gigydd Cornelius Roberts ar y Maes. 'Roedd ei wybodaeth ef yn eang o ofynion cymhleth byd y gân.

Felly y dechreuodd y gantores ieuanc ar ei gwersi gyda John Williams. Canfu yntau ar y wers gyntaf fod ganddi lais cyfoethog, a gwyddai yn ei galon iddo ddod o hyd i drysor prin iawn. Rhoddodd hyn fwynhad mawr iddo, ac ymroddodd yntau i weithio'n galed ar y ddawn newydd. Fe'i cafodd hi'n ddisgybl parod ac ufudd, llawn sêl ac uchelgais. Fe'i hyfforddodd hi i ynganu'r llafariaid yn grwn ac yn eglur, fel y gallai eirio'n bur a chroyw a dysgodd iddi ganeuon elfennol, a'r modd i'w canu'n syml a diymdrech. Yna rhoes iddi'r dechneg o anadlu cyflawn. Edrychai'r pethau yma yn sych ac undonog o'u hymarfer drosodd a throsodd, ond ni ddigalonnodd Maggie. Yr oedd yr athro wedi plannu ynddi'r anghenraid a'r pwysigrwydd o osod sail gadarn cyn mentro dechrau adeiladu'r wyddor o leisio perffaith.

1910 oedd y flwyddyn, ac anfonwyd rhaglen Eisteddfod Môn i ddisgybl disglair John Williams. Anogodd yntau hi i gynnig yno yng nghystadleuaeth y mezzo-soprano. Yr oedd ef bellach wedi wythnosau o lafurio caled gyda'r llais addawol yn awyddus i gael barn y cyhoedd, a beirniadaeth broffesiynol arno.

'Gwraig y Pysgotwr', o waith Miss Eurgain Williams, oedd y

darn prawf. Y ddau feirniad oedd Tom Price ac Osborne Roberts. Yr oedd Tom Price eisoes yn feirniad o fri yng Nghymru, ac am ei farn aeddfed ef y disgwylid, ond newyddian i'r maes oedd Osborne Roberts, ac edrychai'n ifanc iawn, gyda thrwch o wallt gwinau, tonnog.

Dau enw yn unig a dderbyniwyd i'r gystadleuaeth, ac oherwydd hynny ni chynhaliwyd rhagbrawf. Cafodd y ddwy gantores ymddangos ar y llwyfan. Er siomiant mawr i'r cystadleuydd o Bwllheli, Osborne Roberts a draddododd y feirniadaeth wedi ymgynghori byr â Tom Price, a rhoes ganmoliaeth frwd a chalonogol iddi a'i dyfarnu'n orau. Proffwydai'r ddau ddyfodol disglair iddi pe caffai gyfle, oblegid roedd ei hymddygiad ar y llwyfan a'i thonyddiaeth yn gwbl arbennig.

Ysbardunodd y gwerthfawrogiad yma hithau i fwy o ymdrech a dyfalbarhad. Ym mis Awst 'roedd yr Eisteddfod Genedlaethol i'w chynnal ym Mae Colwyn. Beth am gystadlu yno? Felly y bu.

Yr oedd John Williams wrth ei fodd yn ei pharatoi gogyfer â'r Ŵyl Fawr, ac yn mynnu cael pob sillaf a goslef yn berffaith. Cafodd gymorth parod un o'i ffrindiau, Katie McEvitt, i gyfeilio iddi, a bu'r ddwy wrth y piano ym mharlwr Tŷ'r Polîs am oriau yn ymarfer.

Y darnau prawf oedd, 'Inflaminatus' o'r 'Stabat Mater' gan Dvorák, a 'Iesu, cyfaill f'enaid cu' gan Linnaker, dau ddarn yn apelio'n fawr at ei chalon, er mor anodd oedd cyfleu neges eu cynnwys. Hoffai hi y gynneddf grefyddol a'r dwyster a'u nodweddai,—unawdau ag enaid ynddynt.

Cadwyd y bwriad o fynd i gystadlu i'r Eisteddfod fawr rhag y tad tan y noson olaf, a hi a'i chwaer yn barod i gychwyn ar y daith i Fae Colwyn. "Bobol bach," meddai yntau yn llawn syndod, "dyma ffolineb. Nid wyt ond yn wastio dy amser. Wel! Wel!" Ond mynd a wnaeth, ac yntau'n rhyfeddu at ei phlwc a'i phenderfyniad.

Yn 1910 'roedd hi'n gryn dipyn o daith o Bwllheli i Fae Colwyn. Felly penderfynodd y ddwy chwaer aros y noson cynt gyda modryb iddynt yn y Felinheli, ac yna fynd ymlaen ar y trên o Fangor yn fore drannoeth, i fod yn bresennol yn y rhagbrawf am naw o'r gloch.

Yr oedd dros hanner cant o enethod yn cystadlu, a phob un ar ei gorau. Daethent yno o bob rhan o Gymru, canys 'roedd cipio llawryf yn yr Ŵyl Genedlaethol yn gamp uchel. O'r deau, o'r gorllewin, o'r gogledd a'r dwyrain y daethent, a'u hacenion gwahanol yn clecian rhwng pebyll y maes. Er syndod mawr a balchder mwy, sylwodd Maggie Jones fod ei henw hi wedi ei nodi ar y bwrdd du ar y maes fel un o'r tair cystadleuydd a ddewiswyd i ganu ar y llwyfan yn y Pafiliwn. 'Roedd yn amser cinio, a phobl yn dylifo i'r babell fwyd o bob cyfeiriad. Ond pwy a allai feddwl am fwyd, a chyfle bywyd yn aros amdani ar y llwyfan? Dyna oedd adwaith Maggie, a brwdfrydedd yn llifeirio drosti. "Mae'n rhaid imi ennill y wobr gyntaf," meddai dan ei gwynt, "ac 'rwy'n mynd i ennill. Bydd digon o amser i fwyta wedyn."

Daeth munud fawr mynd ar y llwyfan. Tipyn yn wawdus oedd y ddwy gantores arall o'r ferch ddibrofiad a feiddiai gystadlu yn eu herbyn hwy. Teimlai hithau hynny i'r byw, a meddyliai greuloned oedd merched yn ymddwyn. 'Roedd y ddwy yn enwog fel cantoresau da ledled y wlad, wedi cipio gwobrau pwysig mewn Eisteddfodau o fri, a thybient mai eu hawlfraint hwy oedd datganu ar lwyfan yr Ŵyl Fawr, ac mai rhyfyg noeth oedd dod â rhyw lasferch ddieithr yno i'w herio. Ni wyddent fod fflam uchelgais yn llosgi'n eirias ym mynwes yr eneth hon, a hithau yng ngolau'r fflam yn gweld llwyfannau mwy yn galw ac yn aros draw. Yr oedd Maggie Jones o Bwllheli wedi penderfynu cipio'r wobr, canys 'roedd hyn yn golygu popeth iddi. Yn fwy na dim 'roedd hi am brofi i'w thad mai byd y gân oedd yr unig fywyd iddi hi, a chael ei ganiatâd ef i fynd o Gymru fach ymhell i berffeithio ac arfer ei dawn.

Daeth ei thro i ganu. Safodd ar ganol y llwyfan eang mewn gwisg wen seml, a'i gwallt yn disgyn yn blethen dros ei hysgwydd. Ar air yr arweinydd, Llew Tegid, distawodd murmur y miloedd pobl, ac yn yr ust dihidlodd hithau fiwsig prudd-felys y caneuon nes swyno'r dyrfa'n llwyr. Taflodd ei holl ysbryd i'r datganiad, a'r holl ddysgeidiaeth drwyadl a gawsai gan John Williams. Wedi distewi o'r nodyn olaf, torrodd allan fôr o gymeradwyaeth.

Yn groes i'r arferiad o adael i gystadleuaeth neu ddwy fynd heibio cyn traddodi'r feirniadaeth, y tro hwn cerddodd un o'r beirniaid, Dr. David Evans, Caerdydd, yn syth i'r llwyfan, gan ddweud, "'Rydych chwi heddiw yn gwybod cystal â minnau pwy sy'n mynd â'r wobr." Boddwyd y gweddill o'i sylwadau gan y banllefau byddarol,—"Pwy yw hi?", "Beth yw ei henw?" Neidiodd amryw ar eu seddau gan chwifio hetiau a hancesi poced. Crefai Llew Tegid am osteg, ac wedi ei gael, yn araf deg, fel rhyw gonsuriwr yn chwarae â'i dyrfa, meddai, "Maggie Jones," saib hir, "Pwllheli," ac yna saib hwy, "Gogledd Cymru." Yr oedd, meddai, wedi hen flino gweiddi enwau buddugwyr o'r de o hyd ac o hyd.

'Roedd eiddgarwch y dyrfa fawr yn ymylu ar rialtwch, a bu Llew Tegid am ysbaid cyn cael trefn a distawrwydd. Daeth y beirdd yn eu gwisgoedd i longyfarch y gantores ifanc, ac wedi mynd allan tyrrai pawb ati fel gwenyn at eu cwch. 'Roedd gwŷr

Leila Megane yng nghwmni ei chwaer Poli wedi'r fuddugoliaeth ym Mae Colwyn

25

y wasg yno ac yn eu plith ddynes yn cynrychioli un o bapurau newydd America. Yr oedd hithau, arwres yr awr, yn llawn boddhad, ac wedi rhoi ei throed ar ris bwysig iawn yn ei hanes. Ond os oedd ei hysbryd yn cerdded y copaon, daeth arni ludded corff mawr, a chofiodd ynghanol y gorfoledd nad oedd wedi cael dim bwyd oddi ar y brecwast cynnar yn y Felinheli cyn cychwyn am yr Eisteddfod. Wedi ymddatrys o'r bobl, ffwrdd â hi a'i chwaer i chwilio tamaid i aros pryd, a dal y trên am gartref.

Pleser digymysg oedd adrodd yr hanes wrth y tad a'r teulu. Nid unwaith na dwywaith y bu rhaid mynd dros yr hanes, a'r manylion yn profi'n felysach bob tro. Ac meddai'r 'Super', a thristwch yn cymylu ei lygaid, "Mae'n biti na fuasai eich mam yma."

Ni fu cwsg erioed yn bereiddiach na'r noson honno. Yr oedd banllefau y dorf yn troi'n suoganu, a gwybu hithau ar awr anorfod fod ganddi drysor mwy na llais,—gwybu fod ganddi'r gallu prin hwnnw sy'n gafael ac yn dewino cynulleidfa. Ni wyddai pa beth ydoedd, ond teimlai rywsut mai rhywbeth tu allan iddi ydoedd, rhyw bŵer annelwig, anniffiniol. "O," meddai, rhwng dwylan cwsg ac effro, "mae'n rhaid fy mod yn dychmygu pethau, ac yn chwil ar y fuddugoliaeth."

Bu'r Awst hwnnw yn fis tyngedfennol yn hanes Leila Megane. 'Roedd Lloyd George gartref ym Mrynawelon, Cricieth, ar seibiant, ac wedi gwahodd rhai o'i ffrindiau o Lundain ato i aros. Bellach yr oedd y Cymro bach wedi ei brofi ei hun yn wladweinydd galluog ac wedi cael ei ddyrchafu'n Ganghellor y Trysorlys.

Daliai Maggie Jones gyda'i gwersi, ac ymarfer ei llais. Ar y stryd clywai ferched a gwragedd yn sibrwd, "Welwch chi'r hogan yna? Merch Police Station yw hi. Mae'n medru canu. Hi enillodd ar y Messo Soprano yng Ngholwyn Be. Ond twt, aiff hi ddim ymhell ar ganu."

Cafodd wahoddiad i fynd i ganu mewn garddwest ym Mrynawelon. Ni wyddai hithau'n iawn sut y disgwylid iddi berfformio mewn amgylchiadau felly. Mor wahanol oedd hyn i ganu ar lwyfan o flaen torf luosog. "Ond mi fynnaf wneud argraff ffafriol arnynt," meddai wrthi ei hun. Gwnaeth Mrs.

Lloyd George hi'n gartrefol ar unwaith, a'i chyflwyno i'r gwahanol westeion. Cynhesodd calon Maggie at ei dull bonheddig a dirodres, a gwelodd gymaint o golled oedd bod yn amddifad o fam. Mwynhaodd bob eiliad o'r noson falmaidd honno.

Un o'r cwmni dethol oedd Sais ieuanc, glandeg ei olwg. Syllai hwn yn graff arni gan dynnu'n drwm ar ei sigâr. 'Roedd ei wyneb yn gyfarwydd iddi rywsut, a chofiodd yn sydyn iddi weld ei ddarlun droeon yn y papurau newydd. Nid oedd modd camgymryd tro penderfynol a chadernid ei ên. Ie, Winston Churchill ydoedd. Daeth ati ar derfyn y parti, a dymuno'n dda iddi i'r dyfodol. Ar hyn o bryd, nid oedd y dyfodol ond breuddwyd annelwig, eithr teimlai ym mêr ei hesgyrn fod ei thynged yn gorffwys yn rhywle tu draw i'r Eifl, a thu hwnt i Eryri.

Cyn ymwahanu o'r cwmni, daeth Lloyd George ati i gynnig ei ddiolch yn serchog, gan ofyn yn bendant i'w thad, "Wel, 'Super', beth ydach am wneud â hi?" Atebodd yntau, "'Rwyf am roddi'r gorau iddi, hyd eithaf fy ngallu." "Dyna'r ysbryd iawn," meddai Lloyd George, ac ychwanegu wrthi hithau, "Lwc dda, 'ngeneth i. I fyny bo'r nod. Cawn gyfarfod eto. Nos dawch."

Nid oedd ball ar y gwahoddiadau a dderbyniodd hi wedi'r llwyddiant yn yr Eisteddfod Genedlaethol, i roi o'i gwasanaeth mewn cyngherddau yma ac acw, ond nid oedd ei hathro, John Williams, yn fodlon iddi ganu'n ormodol eto. Cyfrifai ef ei llais fel rhosyn yn araf ymagor i'w aeddfedrwydd llawn, ac ni fynnai roddi straen ar y datblygu a rhwygo'r petalau tyner. Rhaid oedd bod yn ofalus iawn. Eithr caniateid i'r cyhoedd newynog ei chlywed yn achlysurol.

Nid nepell o Bwllheli mae hen Blas Nanhoron, un o ystadau'r uchelwyr a oedd yn britho'r wlad yr adeg honno. Preswyliai yno ar y pryd Mrs. Georgiana Lloyd-Edwards a'i mab, Mr. Claude H. Lloyd-Edwards, pobl o'r siort orau, a phawb o'r fro yn eu parchu. Gwyddeles oedd hi, yn berthynas trwy gyfraith i Archesgob Trench o Ddulyn, ac yn ddynes annwyl a choeth ei hymddygiad. Oherwydd anhwylder bu yn fethiannus ac yn gaeth i'w chadair-olwyn am flynyddoedd, ond nid oedd hyn wedi amharu ar ei boneddigeiddrwydd tawel a'i chroeso i'r dieithryn. 'Roedd yn wraig ddeallus a'i serch yn ddwfn at gelfyddyd ymhob agwedd arno. Syndod annisgwyl a phleserus i Maggie Jones oedd derbyn llythyr un bore ag arfbais Plas Nanhoron arno. Gair ydoedd yn erfyn arni i ddod i ganu yno i ryw fath o Noson Lawen a drefnasid.

Nid oedd petruso am un eiliad. Braint oedd cael gwahoddiad i ganu i le fel Plas Nanhoron, a chyfle i ymchwyddo dipyn. Llogodd ei thad gerbyd i fynd gyda'i ferch, ac nid oedd dau hapusach na hwy y noson honno wrth drafeilio hen ffyrdd Llŷn tua'r Plas.

'Roedd mawrion yr ardaloedd wedi ymgasglu yno, a rhoes y cyfarfod a'r amgylchedd brofiad bychan i Maggie o bethau gwych i ddyfod, er na wyddai hynny ar y pryd. Rhyfeddai at wychder hynafol y lle, y darluniau lliw trwm a grogai ar y muriau, y celfi cadarn ac ysblennydd a'r tapestrïau cain. Ai breuddwydio yr oedd? Rhodiai'r gwesteion yn hamddenol o gwmpas,—y dynion yn drwsiadus iawn a'r merched yn eu ffrogiau sidan a melfed. Yn sisial siarad clywodd enwau mawr byd cerddoriaeth gyfoes, enwau fel Melba, Patti, Albani, de Reszke a Caruso. Hawdd deall bod y cwmni yma yn hyddysg ym maes eang celfyddyd canu, ac yn gyfarwydd â gweithiau clasurol yr awduron enwocaf. Canodd hithau iddynt nes oedd ei llais melodaidd yn atseinio'r neuadd. 'Roedd rhywbeth yn peri iddi ganu. 'Roedd ei phen yn llawn o'r artistiaid mawr, er iddi ddarllen amdanynt, nid oeddent wedi eu gwisgo â chig a gwaed fel petai cyn heno. Serch hynny, ni feddyliodd yn ei breuddwydion mwyaf rhamantus y byddai hi ymhen ychydig o flynyddoedd yn dilyn ôl eu traed, yn canu ar yr un llwyfannau ac yn cyfrif rhai ohonynt ymhlith ei ffrindiau gorau.

Distaw a synfyfyriol ydoedd hi a'i thad ar eu taith adref. Buasai yn noson o hud a lledrith, ac ni fedrai trwst carnau'r ceffylau ei chwalu.

Yn y cyfnod yma ceisiwyd organ fawr newydd i gapel Penmount y Methodistiaid Calfinaidd, lle 'roedd y patriarch dall ac annwyl, y Parchedig John Puleston Jones yn gweinidogaethu. Gofynnodd ef i Maggie Jones, er mai aelod o Salem oedd hi, a ddeuai yno i ganu fel uchafbwynt i noson cychwyn yr organ. Ufuddhaodd hithau, a lloriwyd y gynulleidfa gan gyfaredd ei llais. Bu'n noson fythgofiadwy, ac i gofio'r achlysur hwn ym 1912 cyflwynwyd iddi Lyfr Tonau gydag enwau'r blaenoriaid wedi eu llofnodi arno, a Beibl hardd. Gwerthfawrogodd hithau hyn yn fawr, a bu'r cyfrolau hyn yn ei chanlyn i'r cyrrau pell am flynyddoedd lawer.

Daeth i glustiau ei thad fod Harri Evans, arweinydd enwog Côr Lerpwl, ar ei wyliau yn Aber-soch, pentre glan-môr nid nepell o Bwllheli. Gwyddai noddwyr cerdd ymhobman drwy Gymru am ddawn arbennig y gŵr hwn ym myd canu, a thelid gwrogaeth iddo fel gŵr a fedrai ddeall cantorion. "Rhaid imi gael ei weld, a chael ei farn onest am ganu Maggie," meddai'r 'Super'. Ac aed â hi i'w weld, a chafodd ei fodloni'n llwyr â dyfarniad dibetrus Harri Evans. "Mae ganddi reddf at y gelfyddyd o ganu," meddai, "ac y mae hynny yn rhodd neilltuol iawn, ac yn brin." Nid oedd angen ychwanegu. Gwyddai y tad y gwirionedd hwn yn ei galon, ond 'roedd cael cadarnhad meistr diduedd o safon Harri Evans yn argyhoeddi'n llwyr. Sylweddolodd yn fwy nag erioed fod gofal a thriniaeth anghyffredin yn anhepgor i'w ferch dalentog.

Eithr tywyll a di-lun iawn oedd y dyfodol, oblegid amhosibl cario ymlaen heb gyllid sicr, ac ofer dibynnu ac adeiladu gwaddol ar ewyllys da ambell gyngerdd. Aur ac arian yn unig a agorai byrth cyfleusterau, ac nid oedd cymorth gan Gymru dlawd i roddi i'w merched a'i meibion athrylithgar.

Tybiodd y 'Super' mai gwell fyddai i'w ferch fynd i'r Gwasanaeth Sifil, a chanu yn ei horiau hamdden, ond ni roddai'r rhagolwg hwn ddim cysur iddo, a phryderai lawer fod dawn euraid yn cael ei mygu. Dal i ganu a wnâi Maggie, a dal i obeithio.

PENNOD 3

Gadael Cartref

Dal i astudio o dan hyfforddiant John Williams a wnâi Maggie Jones. Breuddwyd oedd y dyfodol, ond dan gyfarwyddyd ei chwaer troes ati i baratoi ei gwardrob rhag ofn y gelwid hi oddi cartref yn sydyn. Cadwai hyn ei dwylo a'i meddwl yn brysur, nes crynhoi nifer dda a buddiol o ddilladau i lanw'r trwnc hen-ffasiwn a oedd ganddi. Poenai ei thad nad oedd ganddo ddigon o gyfoeth i'w gyrru i ffwrdd i academi gerdd, ac nad oedd yr un gefnogaeth ar gael i hybu a phalmantu'r ffordd i ddawn ac athrylith, ond nid oedd dim i'w wneud ond disgwyl yn amyneddgar, a dyheu am weld llwybr yn agor, a rhyw gyfle pendant i weithio arno.

Yn hollol annisgwyl daeth llythyr eto o Blas Nanhoron, wedi ei gyfeirio i Miss Maggie Jones. Buasai'r Yswain a'i fam yn gwneud ymholiadau, ac yn y llythyr arbennig hwn sonient fod gŵr amlwg iawn ym myd cerddoriaeth yn Llundain, Syr George Power, yn barod ac yn awyddus i glywed ei llais. Yr oedd cysylltiad teuluol pell rhyngddo a Mrs. Georgiana Lloyd-Edwards, ac yr oedd yn amlwg hefyd fod y cyngerdd dethol hwnnw yn y Plas yn dwyn ffrwyth.

Mawr y brwdfrydedd a'r darparu am y daith i'r ddinas fawr yn y flwyddyn 1912. Llundain oedd dinas bwysicaf y byd, ac yn ben yr Ymerodraeth Brydeinig. Rhyw feddyliau cymysg a boenai'r tad, iddo ef, rhyw fath o Babilon fawr oedd Llundain, yn llawn drygioni, ac yn barod i hudo'r diniwed ifanc i dranc corfforol a meddyliol. Gorffwysai ei gyfrifoldeb am ei ferch yn drwm arno, ond er hynny nid oedd am sefyll yn ei herbyn a'i lluddias rhag mynd ymlaen â'i haddysg i berffeithio'i chrefft. Rhoddodd gynghorion dwys a da iddi,—canllawiau i afael ynddynt rhag syrthio i'r mil a mwy o demtasiynau sy'n rhithio ymhob llun a lliw i dwyllo'r anghyfarwydd a'r dibrofiad. Carai Maggie ei thad yn fawr, a chymerodd ei eiriau i'w chalon.

Rhoes hyn sylfaen i'w chymeriad a chadernid parhaus mewn byd oer, difater a dideimlad.

Mor rhyfeddol o ofalus oedd ei thad amdani fel y'i rhoes hi yng ngofal y gard yn y trên i deithio i Lundain. Ac yn fan y gard, yng nghanol pob math o daclau, y treuliodd yr oriau hir o Bwllheli ar ei thaith gyntaf erioed i'r Brifddinas. Ymhen hir a hwyr cyrhaeddodd Llundain, i ganol y cyffro a'r dadwrdd yno, a'r rhuthr diorffwys. Ar y funud honno mor unig ydoedd yng nghanol y miloedd pobl, a phob un yn wyneb dieithr iddi. I alltud heb gâr na chydymaith 'Gwacter yw llawnder Llundain'.

Sicrhawyd lle iddi i aros gyda dynes ganol-oed o'r enw Mrs. Herbert. Rhoddai hi lety cysurus am bris rhesymol i bobl barchus. Cymerodd sylw caredig o'r ferch newydd, ac yn rhyfedd, ymgartrefodd hithau yno yn reit fuan. Teimlai'n braf i fod yng nghanol y pethau. Mynychai'r capel Cymraeg gyda Mrs. Herbert, a chyfarfu yno ag amryw o'i chydwladwyr.

Daliai o'i blaen yn gyson ei huchelgais am lwyddo fel cantores. Sylweddolai aberth ei thad yn wynebu'r costau i'w chadw, a mynnai, os câi wên Rhagluniaeth, gyfiawnhau pob dimai goch a werid arni er mwyn iddi allu sylweddoli ei delfryd.

Hoffodd Syr George Power ar eu cyfarfyddiad cyntaf. Barwn Gwyddelig ydoedd, wedi ymbriodi yn hwyr yn ei fywyd ag Eva, merch y diwydiannwr Syr Samuel Boulton. Yr oedd hi yn adnabyddus iawn yng nghylchoedd uchel-ach y Brifddinas, a llawer o sôn a thrafod am ei gwisgoedd costus a ffasiynol, ond yr oedd yn foneddiges bur annwyl ac yn addfwyn tuag at bawb. Cymeriad rhadlon a mwynlan oedd Syr George, ac yn athro cerdd o fri. Poenid ef yn greulon gan y cryd cymalau, ond nid amharai hynny ar ei amynedd a'i ddyfalbarhad gyda'i ddisgyblion. Nid oedd byw yn y ddinas ychwaith yn dygymod â'i iechyd er mor ofalus ydoedd ohono'i hun.

Fe'i swynwyd ar unwaith gan gyfoeth a miwsig llais Maggie Jones, a'r feistrolaeth oedd ganddi eisoes arno. Yr oedd yn frwd ei ganmoliaeth o'i chyn-athro, John Williams, ac nid oedd angen dadwneud dim o'i waith,—'roedd ei dechneg yn

gywir. Mwyach, parhau a symud ymlaen a pherffeithio'r llais
a'r cyflwyniad oedd eisiau.

Yn fuan iawn yn ystod y gwersi, newidiodd yr enw Maggie i
Megane, a dyna'r enw a ddefnyddiai Syr George bob amser.
Mewn cyfnod diweddarach, o dan athrawiaeth Jean de Reszke
y datblygodd Megane yn Leila Megane.

Ffordd addfwyn oedd dull Syr George o addysgu. Yr oedd
ganddo ei dechneg arbennig ef ei hun o gynhyrchu'r llais, a
rhoddai'r pwyslais mwyaf ar drosglwyddiad pur a diymdrech.
Cafodd Megane sylw neillituol ganddo. Gwyddai am ei
hamgylchiadau drwy ei gysylltiad â theulu Lloyd-Edwards,
Nanhoron, a rhoddod gynghorion tadol iddi ar amryw o
faterion personol. Onid oedd hi ar ei phen ei hun yn Llundain,
a'r lle yn gyforiog o dyllau du a phechadurus? Ond ar y llaw
arall, yr oedd y ddinas y lle gorau posibl i gasglu pob math o
wybodaeth ddiddorol. Soniodd wrthi am leoedd hyfryd i'w
mynychu ar awr segur, ac am ganolfannau hanesyddol i
ymweld â hwy, a gwahoddodd hi hefyd yn aml i'w dŷ ar
brynhawn Sul i gael te gydag ef a'r wraig. Mor hapus yr origau
hyn! Hoffai holi Megane am ei theulu, am bobl Pwllheli, ac
am ei phlentyndod, ac yn yr ymgomio cyfeillgar hyn medrai
hithau ymlacio a siarad yn rhwydd a rhydd. Cyfoethogodd ei
Saesneg, a mabwysiadodd ffordd o sgwrsio'n ddiddorol a
diwastraff, mewn iaith lân a chaboledig. Yn wir, bu'r
ddeuddyn bonheddig yma yn gymorth mawr iddi i bontio'r
gagendor o fod yn ferch ddibrofiad, i dyfu'n ddynes sicr ei
threm a'i thramwy.

Yr oedd yn arferiad gan Syr George i drefnu cyngherddau yn
achlysurol yn un o neuaddau mawr y ddinas, a chynnwys ei
ddisgyblion fel artistiaid. Yr oedd bri mawr ar gyfarfodydd
felly yn y dyddiau cyn dyfodiad y radio a'r teledu ac edrychai'r
beirniaid ymlaen yn fawr at eu mynychu! Iddynt hwy nid oedd
y cantorion ieuainc ond esgyrn i'w pigo a'u collfarnu, a dadlau
yn eu cylch. Deuai'r chwilwyr talentau yno hefyd, gyda
chlustiau a llygaid agored.

Profiad newydd i Megane oedd ei chyngerdd cyntaf,—canu
mewn neuadd yn Llundain, canu i drigolion tref ac nid i werin
cefn gwlad. Yn ôl ei harfer 'roedd yn benderfynol i roi o'i

gorau. Ymddangosodd yng ngwisg genedlaethol Cymru, gyda'r het befar uchel, a siôl sidan batrymog â'i rhidens hir. Cawsai y sîol hon yn anrheg gan hen wraig bedwar ugain oed o Bwllheli, ac yr oedd honno wedi ei gwisgo yn ei phriodas. Yr oedd Megane yn ofalus ac yn falch o'r siôl hon, ac edrychai'n bictiwr hardd ar y llwyfan gyda'i gwallt gwinau yn blethen drwchus yn disgyn dros ei hysgwydd.

Beth fu'r canlyniad? Hwn ac arall yn gofyn am gael ei gwasanaeth fel cantores. Ond rhaid oedd ymgynghori â'r athro, a thynnu'r gwenith oddi wrth yr efrau. Gwelodd hithau fod y llwybr yn blodeuo, a theimlai'n hapus iawn.

Ond ni phrofir y melys heb y chwerw, a gwireddwyd hyn yn fuan ar ôl i Megane gychwyn o ddifrif ar ei haddysg gerddorol yn Llundain. Bu farw ei thad ar yr unfed ar ddeg ar hugain o fis Mai, 1912. Teimlai fod y gwaelod wedi suddo o'i bywyd, ac ni fyddai ond boddi mwyach o'i blaen. Ef oedd ei chefn, arno ef y dibynnai am ei chynnal a'i chadw; ef oedd ei heilun, ac ynddo ef yr ymgorfforai rhinweddau gorau y natur ddynol. Bu iddi yn graig gadarn i bwyso arno, ac yn awr ei phrofedigaeth teimlai mor noeth a diamddiffyn â baban newydd-anedig. Mor anodd oedd troi 'nôl am Ogledd Cymru i dref annwyl Pwllheli a barchai ei thad mor fawr, ac i'r cartref a'r aelwyd dan fantell o alar. Aeth ei byd yn wag ac yn oer, a'r dyfodol yn llwyd.

Bu farw'r Arolygydd Thomas Jones wedi dau fis o frwydro yn erbyn afiechyd blin. Collodd y dydd yn hanner cant a chwe blwydd oed a galarai'r fro ar ei ôl. 'Roedd yn ddyn teg a chyfiawn, ac ni chosbai neb ar gam. Cariai ei grefydd yn ei waith beunyddiol, a throes aml droseddwr o wyrni ei ffordd.

Wedi'r arwyl drist, darbwyllwyd Megane i ddychwelyd i Lundain. Rhaid oedd i fywyd fynd yn ei flaen fel cynt, ond nid oedd ei thad ar gael i'w danfon i'r orsaf y tro hwn. Nid oedd ond distawrwydd, ac yntau'n fud a llonydd ym mynwent hen eglwys Deneio. Nid oedd ganddi mwyach na thad na mam, a bywyd ansicr yn ei herio ar y gorwel draw.

Ar y daith hir i Euston, ymwrolodd yng nghanol ei hadfyd. Tynnodd nerth o rywle'n ei hisymwybod i wynebu'r sefyllfa, a theimlai fod ei thad er wedi marw eto yn fyw, ac yn agos iawn ati. Fel y pendronai, cryfach o hyd y tyfai'r ymwybyddiaeth hyn, ac ysgafnhaodd dro ei hiraeth trwm. Penderfynodd weithio'n ddyfalach nag erioed, a throi ing ei phrofedigaeth i ddwysáu ei chrebwyll fel cantores glasurol.

Carlamai mil a mwy o atgofion drwy ei meddwl ar y daith, ac ymhob atgof 'roedd ei thad yn ganolog. Gwelai eto osod y carcharorion yn eu celloedd, ac yntau yn hongian yr allweddau ar y mur wrth ddrws ei swyddfa. Cofiodd eu llygaid gwibiog anesmwyth. Yna ymrithiai tlodion y Wyrcws gerllaw o flaen ei llygaid. Cofiodd mor hapus oeddynt fel teulu gartref, a'r hwyl a'r miri a gaent yn blant ar yr aelwyd. "Mi roddaf fy mhrofiadau i gyd yn fy nghanu," meddai wrthi ei hun, ac unwaith eto 'roedd ei delfryd yn llathru ac yn ei galw ymlaen.

Y mae pawb yn hwyr neu'n hwyrach yn ei fywyd yn dod wyneb yn wyneb â phrofedigaeth. Pan ddaw'r profiad annifyr hwn yn bersonol agos, y perygl yw disgyn ym mreichiau galar i'r godreon, lle nad oes ond tywyllwch ac anobaith. Ar y llaw arall mae angen grym a phenderfyniad i ddal ati ac ailgydio yn y pethau.

Pan gollodd Leila Megane ei mam ni theimlodd yr unigrwydd a'r gwacter yr un modd ag ar ôl marw ei thad. Yr adeg honno, nid oedd yn sylweddoli'r arwyddocâd—hyfryted ddiniweidrwydd ac anwybodaeth plentyn! 'Roedd y teulu o'i chwmpas, y cartref a'r aelwyd gynhesol, a'r tad yn angor sicr yng nghanol y storm. Tynnwyd yr angor ymaith o'i bywyd yn awr, ac yn Llundain fawr teimlai fod y canllawiau hefyd wedi eu dryllio a diflannu.

Eithr plannodd ei thad ynddi'r egwyddorion gorau. Yn unigrwydd ei llety cafodd ddigon o amser i feddwl, dyfalu a chofio. Llawenychai yn ei chalon na fynnodd hi ddilyn llwybr y gân yn groes i'w ewyllys ef, a gwyddai hefyd y deisyfai ef ei llwyddiant yn fwy na neb. Ac yr oedd y wybodaeth yma yn rhoi ymyl euraid i'w huchelgais.

A dyna'i chysur. Ailafaelodd yn ei llyfrau, ac ymegnïo wrth ei gwersi. Bu Syr George Power yn garedig ac yn gymorth mawr dros y cyfnod hwn. Dyn felly ydoedd, yn diymhongar daflu cerrig i'r llifeiriant iddi hi gerdded drostynt i ddyfroedd llyfnach.

Gofynnwyd iddi ganu i gwmni bach dethol o bobl

Yr Arolygydd Thomas Jones, tad Leila Megane

ddiwylliedig mewn tŷ annedd yn y ddinas am dâl. Canodd eitemau safonol poblogaidd, yn eu plith 'Mélisande' a 'The Rosary'. Nid oedd yno lygad sych pan orffennodd ganu 'The Rosary'. Onid oedd y geiriau syml yn fyw iddi:

> The hours I spent with thee, dear heart,
> Are as a string of pearls to me;
> I count them over, every one apart,
> My Rosary, My Rosary.

> Each hour a pearl, each pearl a prayer,
> To still a heart in absence wrung;
> I tell each bead unto the end,
> And there a cross is hung.

> O, memories that bless and burn,
> O barren gain and bitter loss;
> I kiss each bead and strive at last
> To learn to kiss the Cross.

Yn fuan iawn wedi hyn gofynnodd Mr. Lloyd George iddi i ganu mewn cyngerdd a gynhelid er budd y tlodion yn y Central Hall. Yr oedd nifer o fawrion y ddinas yno, a daeth William Jones, A.S. Sir Gaernarfon, ati i ddiolch am ei chyfraniad, ac i estyn ei gydymdeimlad ar farwolaeth ei thad. Nid oedd hi wedi ei weld o'r blaen, a gwnaeth argraff ffafriol iawn arni. Medrai siarad yn dda mewn llais treiddgar, melodaidd. Credai hi ar y pryd ei fod yn ddyn tra dymunol o bryd a gwedd a phersonoliaeth.

Ar derfyn y cyngerdd nesaodd Mr. Herbert H. Asquith, y Prif Weinidog, a'i wraig ati, gydag edmygedd, a dweud fel yr oeddynt wedi mwynhau ei chanu. Ac meddai Asquith, a'i law ar ei hysgwydd, "Os byddwch yn teimlo'n unig, ac eisiau cyfeillgarwch, neu os bydd arnoch chi eisiau cymorth a chyngor, dewch ar eich union i 10 Downing Street. Bydd croeso calon i chwi yno bob amser." Hwyrach iddynt synhwyro o'i gweld mewn dillad galar iddi golli rhywun annwyl, ac 'ni chudd grudd ofid calon'. Dim ond pythefnos oedd er pan fuasai farw ei thad.

Cyflymodd y gair ar hyd ac ar led am ei gallu, a daeth iddi alwad ar ôl galwad. Yr oedd yn arferiad gan y pendefigion yr adeg yma gynnal cyngherddau bach yn eu cartrefi, *'at home'* fel y'u gelwid. Nid oedd hyn yn golygu fawr o gyfoeth ariannol, oherwydd 'roedd yn rhaid iddi dalu ei ffordd, talu am ei lety, ac am ei gwersi. Wedi clirio dyledion felly gwelodd fod ganddi ddigon yn weddill i geisio ei ffrog newydd gyntaf ei hun, ffrog ar gyfer y llwyfan. Gwnaethpwyd hon o sidan du, a thrwy glyfrwch yr wniadwraig, 'roedd modd newid dipyn ar yr arddull, fel y gallai ei gwisgo fel ffrog wahanol dro ar ôl tro. Rhaid oedd meddwl am y pethau hyn, canys gwyddai bwysiced oedd ei hymddangosiad wrth ganu o flaen y torfeydd.

PENNOD 4

Covent Garden

Cynhaliwyd cyngerdd pwysig yn Hill Street, a chafodd Megane wahoddiad i ganu yno. Clywodd mai'r gantores fydenwog Nellie Melba a wahoddwyd yno y flwyddyn cynt, ac iddi dderbyn tâl o bum can gini am ganu. Y datgeiniaid eraill oedd Plunket Greene a Harry Lauder. Yr oedd enwau y ddau yn adnabyddus, ond hwyrach mai Harry Lauder oedd y mwyaf poblogaidd. Dygai ef anadl o ucheldiroedd yr Alban bob amser i'w ganlyn, ac ni fethai fyth swyno'i wrandawyr, naill ai gydag alawon gwerin ei wlad neu ynteu ei ganeuon clasurol. Fe'i profodd ei hun yn ymgomiwr difyr dros ben, a rhoddodd amryw o gynghorion da i Megane. "A chofiwch," meddai, "ganu alawon Cymreig. Nid yw ronyn o wahaniaeth ym mha ran o'r byd y byddwch. Mae gennym ni'r Celtiaid draddodiad gwych i'w gadw a'i estyn i'r bobl." Teimlai Megane fod yna ryw ffresni naturiol o'i gwmpas, a bod ganddo gydymdeimlad diffuant â'r werin. Dyn di-lol.

Ni chafodd gyfle i weld Harry Lauder am flynyddoedd wedi hyn, ond darllenai amdano a chlywed am ei boblogrwydd mawr. Ac oherwydd iddi ddod i gysylltiad agos ag ef yn y cyngerdd hwn, ac am ei eiriau caredig wrthi, cymerai ddiddordeb ynddo. Yn Efrog Newydd y gwelodd ef wedyn. Felysed y sgwrs honno, a'r ddau yn cymharu eu profiadau gwahanol ar lwyfannau mawr y byd. Celtiaid oeddynt ill dau ac yn ymffrostio yn eu genedigaeth-fraint.

Arferai Madam Kirby Lunn fynychu cyngherddau Syr George Power yn bur aml,—ar y pryd hyhi oedd 'Delilah' yn Covent Garden. Gweithiai'n ddiorffwys, a gwyddai dilynwyr yr opera amdani'n dda. Er mwyn canu'n arbennig iddi hi yr estynnodd Syr George wahoddiad i Megane i'w gartref un prynhawn Sul. Siomedig fu'r cyfarfyddiad. Nid oedd y ddwy ar yr un donfedd o bell ffordd, ac ni chyneuwyd y fflam leiaf o gyfeillgarwch rhyngddynt. Edrychai Madam Lunn braidd yn

38

sarhaus ar eiddilwch Megane a rhybuddio'n bendant, "Y mae'n rhaid i chwi fod yn gryf iawn o gorff i fedru dal straen y bywyd operatig, oherwydd mae tyndra a phwysau'r gwaith yn annioddefol." Yr oedd caledwch y rhybudd hwn fel tywallt dŵr rhewllyd ar ddygnwch a sêl Megane, a digiodd wrth y 'Delilah' yma am ei siarad plaen. Pan gyfarfu â hi yn ddamweiniol ymhen rhai blynyddoedd wedyn, yr oedd ar ei ffordd i Lundain wedi bod mewn cyngerdd dathlu cydwladol ym Manceinion. Sych a chwta fu'r siarad rhyngddynt ar y trên. Cenfigen broffesiynol.

Llifai'r galwadau'n gyson, a chynyddai'r tâl, fel y gallai glirio'i ffordd yn hwylusach. Nid oedd ei thad ar gael yn gefn iddi mwyach, ac ofer disgwyl llythyr o Bwllheli gyda phres. Mor hapus ydoedd o fod yn hunangynhaliol. Rhoes hyn asbri newydd yn ei gwaed a dimensiwn arall i'w breuddwydion. Ac yr oedd y gair am ei chanu swynol yn ennill mwy o glustiau ddydd ar ôl dydd.

Daeth i adnabod caredigion y gân, pobl a oedd yn cyfrif ym myd cymdeithas barchus a choeth. Un o'r cyfryw oedd dynes fonheddig o'r enw Mrs. Christie Miller. Gwirionodd hi yn llwyr ar ganu Megane, a dymunai ei llwyddiant yn fawr iawn. Adwaenai hi Madam Donalda yn bur dda, a chan wybod ei bod hi yn y Brifddinas dros dymor yr opera, penderfynodd ei gwahodd hi a Megane i'w thŷ am ginio. Awyddai Mrs. Miller i Donalda gael clywed Megane yn canu, ond nid oedd am wneud hyn yn rhy amlwg. Rhaid oedd bod yn gyfrwys. Felly trefnodd gyda Megane iddi ganu megis yn anfwriadol mewn ystafell arall cyn cyfarfod Donalda. Ac fe lwyddodd y cynllun. 'Roedd honno yn llawn brwdfrydedd ac yn pentyrru ei chanmoliaeth. "Mae'n rhaid i Mr. Higgins glywed y llais yma ar unwaith," meddai, "yfory nesaf." Ef yfoedd Prif Drefnydd Covent Garden. Yn 22 oed, dyma brifffordd cerdd a chân yn agor i Megane a chyfle bywyd ar y trothwy.

Galwyd Megane i Covent Garden ymhen ychydig ddyddiau, i roi prawf ohoni ei hun fel cantores i Mr. Higgins. Yr oedd sydynrwydd y trefniant hwn yn anhygoel bron, yn gymaint felly nes amau gwirionedd y gwahoddiad. Crynai y ddalen ag enw Covent Garden arni yn ei llaw, a braidd y gallai goelio ei llygaid, ond fe'i tynnodd ei hun at ei gilydd. Rhoddwyd adenydd i'w thraed, a gwreichionai tân uchelgais yn ei llygaid.

Nid oedd wedi canu i gyfeiliant cerddorfa lawn o'r blaen, ond ni phetrusodd am un foment. Eisteddai Mr. Higgins yng nghanol y neuadd wag a'i sylw i gyd ar yr eneth ifanc o Gymru. Dygasai gyda hi y ddwy 'aria' enwog o 'Samson and Delilah', 'Mon Coeur' a 'Fair Spring is Returning'. 'Roedd y caneuon yma yn rhai mwyaf anodd i gantores ieuanc. Gwyddai hithau hyn, ac yr oedd yn barod i'r her. Teimlai fod ei bywyd yn y fantol, a rhyfeddai iddi fedru ymddangos ac ymddwyn mor hunanfeddiannol. Cyn camu i'r llwyfan 'roedd cannoedd o loynnod crafangog yn hofran yn ei mynwes, ond gydag i'r gerddorfa daro'r nodyn cyntaf ymdawelodd, a daeth drosti dangnefedd dieithr.

Wedi gorffen cafodd gymeradwyaeth uchel a brwd gan wŷr y gerddorfa. "Rhagorol, Rhagorol," cydwaeddent. Gan estyn ei law a dyfod ati, sibrydodd Mr. Higgins, "Fe glywsoch beth mae'r bechgyn yn 'i feddwl ohonoch. Y mae gennych lais gwych, ac fe wnewch yn dda iawn gyda rhagor eto o hyfforddiant. Anfonaf delegram yn syth i Baris at Jean de Reszke i ofyn a wnaiff ef eich cymryd am addysg bellach." Ynganodd Mr. Higgins y cwbl yma mewn islais gwan. Felly yr oedd ei ddull o siarad bob amser, mewn sibrydion. Druain o bwy bynnag o'i wrandawyr a ddigwyddai ddioddef o'r diffyg clyw lleiaf.

Awgrymodd i Megane gael gwersi gyda Jean de Reszke. Ni wyddai hi ei fod yr athro cerdd enwocaf drwy'r byd, ond clywsai amdano fel tenor adnabyddus, ac iddo anfarwoli rhan 'Romeo' yn yr opera 'Romeo and Juliet'. Rhaid ei fod yn ganwr penigamp i chwarae gyferbyn â Patti. Dyma anrhydedd os mynnai'r gŵr mawr hwn ei chlywed yn canu.

Ymhen ychydig iawn o amser derbyniwyd ateb cadarnhaol oddi wrth de Reszke. Yr oedd croeso i Megane i ganu iddo cyn gynted ag oedd yn gyfleus iddi. Teimlai Megane vn ddyledus iawn i Mr. Higgins am bontio'r ffordd iddi i Ffrainc. Daliai i ddringo'r ysgol. Nid oedd troi yn ôl mwy. I fyny oedd y nod, yn uwch, yn uwch o hyd.

PENNOD 5

Dysgu Byw ym Mharis

I godi gwarchae diogel am gelfyddyd a'i ddatblygu ymhob oes rhaid mynd a chylchdroi yn y man lle bo. Dinas Paris oedd y lle mwyaf delfrydol i hyn. Yr oedd y caredigion yno, yr awyrgylch, canolfannau addas, a chroeso cynnes i bawb a oedd wedi llwyr ymserchu mewn celfyddyd, neu fel y dywedir am fardd ei fod o'r un gwaed â'r awen wir.

Trwy gyfaredd ei llais a swyn ei phersonoliaeth, yr oedd Megane wedi ennill llu o ffrindiau trwyadl erbyn hyn, a bu rhain yn gefn ac yn symbyliad iddi. Yn eu plith yr oedd Arglwydd ac Arglwyddes Glanusk, Syr George ac Arglwyddes Cooper, y Cyrnol a Mrs. Glen Kitson, Yr Uwchgapten a Mrs. Christie Miller, a Mrs. Cunningham o'r Alban. Gwelodd y bobl yma'n gynnar wreichion y berth yn llosgi a heb ei difa yn ei pherfformiadau. Pobl oeddynt yn caru diwylliant cerddorol ar ei orau, ac yn barod i hybu dawn gywir yn ei blaen. Buont yn dilyn hynt Megane oddi ar iddi ddod i Lundain yn ddisgybl i Syr George Power, a daethant i wybod yn fuan iawn fod ganddi ryw ddawn cyfrin ychwanegol i'w gynnig, dawn a oedd yn rhoi gwefr yn ei chanu.

Tybiai'r cyfeillion mawrfrydig hyn ei bod yn ddyletswydd arnynt gael rhywun yn gwmni i Megane i fynd i Baris. Cynigiodd Arglwyddes Glanusk ei gwasanaeth, a hyn yn arbennig oherwydd ei gwybodaeth o'r wlad ac o'r iaith Ffrangeg. Ar y pryd yr oedd un o'r partneriaid gloyw, y Cyrnol Glen Kitson, yn cwyno, ac mewn ysbyty yn Llundain, ond mynnodd ddod i'r orsaf i ffarwelio ac i ddymuno'n dda i Megane, heblaw talu am ei threuliau hi a'i chydymaith. Ofer pob protestio. "Cyfrifaf hi'n fraint," meddai, gan ychwanegu, "Cofiwch yrru gair a gwybod beth fydd dyfarniad de Reszke, a chofiwch ganu rhai o'r alawon Cymraeg."

Er iddi gael ei magu yn sŵn y môr, morwraig sâl iawn oedd Megane. Bu hyn yn gryn anfantais iddi, oherwydd bu rhaid iddi groesi tipyn o fôr yn aml yn ystod crwydriadau ei bywyd proffesiynol. Llifai'r dŵr hallt yn gryf yng ngwythiennau ei brodyr,—y tri ohonynt wedi mentro i'r dyfroedd dyfnion i chwilio'u bara beunyddiol yn ieuanc, ond cas ganddi hi oedd morio.

Ar y fordaith gyntaf o Dover i Calais yr oedd yn rhy gynhyrfus i feddwl am salwch môr. Fel y digwyddodd, 'roedd y croesi'n braf a thawel, a'r hen 'Ddafydd Jones' yn gwenu'n gariadus ar hyd yr amser. Hedai cannoedd o ddychmygion drwy ben Megane. Un peth a'i phoenai'n fawr oedd iaith y wlad ddieithr. Gwyddai rai caneuon Ffrangeg eisoes—fe'u dysgodd fel parot, ond ni wyddai fawr o'u hystyr, am nad oedd yn gyfarwydd â'r iaith lafar. Dyna fendith fod Arglwyddes Glanusk gyda hi. Fe'i cysurai ei hun â'r wybodaeth y medrai Jean de Reszke dipyn o Saesneg. Os llwyddai i ymgyfathrachu ag ef, ni ofidiai, canys yn ei ddwylo ef y gorffwysai ei thynged fel cantores o fri.

Profiad hyfryd oedd gosod traed ar dir tramor, ac edrych ymlaen at ben y daith. Cyrhaeddwyd Paris yn ddiogel i ddrysni twrw'r orsaf, a sŵn y siarad fel clegar mil o wyddau. A Megane yn synio'n hurt,—"'Fedra' i byth ddod i ddeall y bobl yma'n llefaru." Nid oedd amser i oedi, ond i ffwrdd â hwy ar ruthr mewn cerbyd ysgafn a del, a'r gloch ar harnais gloyw'r ceffyl yn tincial yn hapus. Teimlai fel brenhines y Tylwyth Teg, a dechrau amau a oedd y profiad yn ffaith.

Wedi cyrraedd cartref hardd de Reszke, aeth y ddwy ymwelydd i fewn drwy'r porth a ddefnyddiai'r disgyblion. Fe'u derbyniwyd yn foesgar a'u harwain i ystafell yr athro mawr ei hun. Yr oedd hon yn foment fythgofiadwy mewn amser, un o'r eiliadau hynny na ddigwydd yr eildro. Croesawodd de Reszke hwy yn ei ddull urddasol cysefin. Trydanwyd yr awyrgylch gan ei bresenoldeb. Synhwyrai Megane y gostyngeiddrwydd ysbryd a berthynai iddo. Nid oedd amau grym ei bersonoliaeth. Methai Megane egluro hyn, ond fe'i teimlai ei hun yn cael ei hudo gan ei rin fel gwyfyn at olau fflam.

Penderfynodd ganu iddo yr un caneuon ag i Mr. Higgins, Covent Garden, gan ychwanegu 'Gwlad y Delyn'. Canodd honno yn olaf. Cofiodd mai dyma'r gân a swynodd bobl

Jean de Reszke

Pwllheli yn y cyngerdd Gŵyl Ddewi yng nghapel Salem rai blynyddoedd ynghynt—ei chân gyntaf; mor bell yn ôl yr edrychai hynny!

Cyfeiliwyd iddi ar y piano gan Eidalwr o'r enw M. Amadci. 'Roedd ei gyffyrddiad yn ysgafn a sicr: cerddor i flaen ei fysedd. Rhoddai iddi hefyd ymddiriedaeth. Hawdd oedd canu yn y salon braf yma, er bod yr athro clasurol yn clustfeinio'n astud, yn pwyso ac yn mesur. Eithr nis cafwyd yn brin. Yr oedd boddhad wedi ei argraffu ar wyneb yr athro, a'i lygaid yn llawn gorfoledd. Nid yn unig bodlonai gymryd Megane dan ei aden, ond erfyniai am iddi aros yno o'r awr honno. "Mae'n edrych yn wanllyd a bregus ei hiechyd," meddai, "mae gwaith pesgi arni. Bydd fy ngwraig a minnau yn mynd i wlad Pwyl ymhen ychydig ddyddiau am seibiant, ac fe gaiff hi ddod gyda ni. Fe wna hynny les mawr iddi." Cariai ei frwdfrydedd a'i eiddgarwch ef ymlaen yn heintus.

Ond er mor galonnog y teimlai Megane ynglŷn â hyn oll, nid anghofiodd ei theyrngarwch i Syr George Power. Penodwyd hi i gymryd rhan flaenllaw yn un o'i gyngherddau, ac ni chymerai'r byd am ei siomi. Eglurodd yr amgylchiadau i de Reszke, ac ar amrantiad adnabu ef y wythïen aur yma yn ei chymeriad,—'Hysbys y dengys y dyn o ba radd y bo'i wreiddyn'. "Popeth o'r gorau," ebr ef yn garedig. "Mi feddyliaf am le pwrpasol i chwi aros ym Mharis, lle cewch ddysgu Ffrangeg. Mae'n anhepgor i chwi feistroli'r iaith,—mi fydd hynny o'r fantais fwyaf." Nid oedd morwyn ddwy ar hugain oed hapusach yn y byd na Megane yn troi yn ei hôl o Baris. Er y gwyddai mai gwaith caled oedd o'i blaen, yr oedd cwpan ei dedwyddyd yn gorlifo.

Felly ar fore hirfelyn tesog yn y mis Awst dilynol, ym 1913, safai Megane ar ei phen ei hun ar orsaf Victoria ar gychwyn ei thaith i Ffrainc. Daeth yr awr iddi godi ei phac a chefnu ar Lundain, a throi tua Pharis i barhau gyda'i haddysg o dan Jean de Reszke.

Trefnodd syndicet o'i chyfeillion, ar gyngor de Reszke ei hun, iddi aros yn Rhif 19 Rue Eugène de la Croix a Rue de la Tour. Yr oedd i'r tŷ ddau fynedfa, a châi'r ddwy giat eu cloi dros nos. Yma preswyliai gweddw M. Élysée, brawd ieuaf M.

Émile Olivier a fu am dymor yn Brif Weinidog Ffrainc. Daethai 'Madame' i gyfarfod Megane o'r trên, ac adnabu'r ddwy ei gilydd yn syth, oherwydd iddynt gytuno rhag blaen i wisgo ruban melyn bob un ar ei braich. Ni wyddai'r naill na'r llall fawr ddim o iaith ei gilydd, a distaw iawn felly fu'r siwrnai o'r orsaf i'r tŷ. Teimlai Megane braidd yn annifyr am hyn, ac yn estron yng ngwir ystyr y gair.

Llwyddodd i'w haddasu ei hun i fywyd y teulu yn Rhif 19 yn fuan, er gwaethaf anawsterau cyfathrebu. Mlle. Seille Blandine Olivier oedd i roi gwersi Ffrangeg iddi. Medrai hon ychydig o Saesneg chwithig, ond yr oedd hynny yn gymorth mawr. Ar wahân i hyn dim ond Ffrangeg a siaredid yn y tŷ, a barnai Megane mai mil hawsach oedd cynefino â iaith ddieithr a dysgu ei hidiomau llafar fel hyn, na thrwy gyfrwng llyfrau gramadeg sych ac astrus. Hefyd credai fod y ffaith ei bod hi eisoes yn ddwyieithog yn help iddi ddysgu Ffrangeg yn gynt.

Yn ebrwydd ar ôl cyrraedd Rhif 19, daeth swyddog uchel o'r Fyddin Brydeinig i aros yno, gyda'r amcan o gaboli a gloywi ei Ffrangeg. Deallodd fod Megane yno, ond penderfynodd nad oedd yn mynd i siarad Saesneg â hi. Ei arwyddair oedd, 'When in Rome do as the Romans do'. O glywed hyn yn ddistaw bach gan Blandine, mynnai Megane beri i'r milwr yma blygu a'i chyfarch yn Saesneg. A daeth ei dymuniad i ben.

Wedi cinio hwyr, yr arfer oedd troi i'r lolfa fawr yno. Ystafell nobl oedd hon, wedi ei dodrefnu yn artistig. Eisteddai'r merched gyda'u brodwaith, a'r dynion yn darllen ac ysmygu. Sylwodd Megane ar hen biano bychan yno, bron na ddywedai ei fod yn gelficyn i amgueddfa. Wedi gofyn caniatâd 'Madame' anelodd ato, ac wedi treio ei gywair amherffaith, eistedd wrtho a chanu'n dawel-ddwys yr emyn Cymraeg 'Bugail Israel'. Do, 'canodd gerdd yr Arglwydd mewn gwlad ddieithr', a disgynnodd rhyw fantell dangnefeddus dros y fintai fach. Cymeradwywyd hi'n wresog, er na ddeallai yr un ohonynt ystyr y geiriau. Dynesodd y Cyrnol Charles L. Storr ati, a chymaint ei frwdfrydedd fel yr anghofiodd ei adduned i beidio â pharablu Saesneg! Dyma gychwyn cyfeillgarwch dwfn, a bu ef a'i wraig yn fawr eu diddordeb yn ei chwrs cerddorol ar hyd y blynyddoedd.

Ymhlith dodrefn hen a choeth y lolfa yr oedd bwrdd ysgrifennu Ffrengig eithriadol o olygus. Edmygai Megane hwn yn fawr, a hoffai redeg ei llaw ar hyd ei bren llyfn-loyw. Sylwasai Mlle. Blandine ar hyn, ac eglurodd mai cymynrodd ydoedd oddi wrth Franz Liszt, y cyfansoddwr disglair a'r chwaraewr piano byd-enwog. Deffroes hyn chwilfrydedd Megane, a chafodd wybod fod yna gysylltiad teuluol agos rhwng ei hathrawes a'r athrylith hwnnw. Yr oedd modryb iddi yn ferch iddo, a'i henw morwynol oedd Blandine Liszt. Ac ar ei hôl hi y cafodd athrawes Megane yr enw Blandine.

Ymserchodd Megane ynddi hi'n fawr, ac ni fu'n hir cyn dysgu digon o'r iaith i'w gwneud ei hun yn ddealladwy. Cafodd glywed amryw o straeon am Liszt, ond yn naturiol nid am droeon chwerw ei fywyd tymhestlog. Am Liszt yr arwr a'r gŵr bonheddig, ac am ei ddawn fawr greadigol y clywodd hi. Aethai Blandiné ato'n fynych i'w gynorthwyo ar derfyn ei oes a bu'n ei helpu gyda'i hunangofiant.

Pabyddion wrth gwrs ydoedd teulu'r Oliveriaid, ond er gwybod mai Protestant oedd Megane ni cheisiasant ei phroselytio. Bu tipyn o ddadlau ysgafn ar wahaniaethau eu credoau, ond yr oedd hyn yn fwy o bryfocio na dim arall.

Rhan o'r teulu yma hefyd ydoedd brawd a chwaer, M. Joseff a Mlle. Claire, dau hoffus iawn, ond yn anffodus yn drwm fyddar, y naill a'r llall. Yr oeddynt wedi meistroli iaith y mud a'r byddar, ac yn bencampwyr arni. Tosturiai Megane wrthynt a hiraethai am allwedd i fynd i mewn i'w byd unig a distaw. "Nid oes dim amdani, ond dysgu arwyddion eu gwyddor hwy," meddai. Ac wedi llawer o hwyl a chamgymeriadau digrif, camodd yn fuddugoliaethus i fudanrwydd eu teyrnas. Rhoes hyn gysur mawr iddi. Âi am dro hyd y ddinas yn aml gyda Mlle. Claire, a gweld llawer o odidowgrwydd Paris yn ei chwmni. Yr oedd hyn yn addysg yn ogystal ag adloniant.

Medrodd yn hawdd bontio'r agendor rhyngddi a 'Madame' Olivier. Dynes garedig ydoedd hi a boneddigaidd ei ffordd. Gyda'r nos, edrychai mor urddasol â brenhines yn llithro i mewn i'r lolfa, yn ei gŵn du, hirllaes, a phob blewyn yn ei le. Ei hoffter oedd sôn am galedi rhyfel 1870, ac adroddai chwedlau enbyd am yr erchyllterau. Yr oedd Megane wrth ei bodd, ac er na ddeallai bob gair, 'roedd yn cyfoethogi ei geirfa, ac onid oedd Blandine wrth law i gyfieithu?

Wedi i'r Cyrnol Storr adael Rhif 19, Megane oedd yr unig westai yno. Ystyrid hi bron fel un o'r teulu yno. Dysgodd hithau eu harferion, cyfarfu â'u cyfeillion, a rhoes y cwbl hyn ddirnadaeth dda iddi o'u bywyd a'u diwylliant.

Cyfrifir Ffrainc yn uchel drwy'r byd fel gwlad am luniaeth da, a choginio gwych. Rhoes cogydd y teulu lawer awgrym ar y sut a'r modd i baratoi bwydydd gwahanol a maethlon a gosododd hithau'r cyfrinachau hyn mewn congl bach o'i meddwl i'w cadw at y dyfodol.

Yr oedd y les, y brodwaith a'r tapestrïau a ddangoswyd iddi o waith neiniau a hen-neiniau'r teulu yn ddigon o ryfeddod. Mor goeth ac ysblennydd eu chwaeth! Yn y dodrefnu, 'roedd yr agwedd artistig yn amlwg. Ni orlenwid un ystafell, ac yr oedd pob un dodrefnyn yn dda ac yn fuddiol. Cymharai Megane hyn â'r dull poblogaidd ar y pryd ym Mhrydain o wthio cymaint o drugareddau ag oedd modd i bob cornel—y ffasiwn Victorianaidd heb farw o'r tir. Credai 'Madame' Olivier mewn symlrwydd a dodrefnu dethol, fel na roddid gormod o waith glanhau i'r morwynion, a rhoi amser iddynt hwythau i fwynhau pethau gorau bywyd fel darllen, brodio, arlunio, ymweld ag orielau ac amgueddfeydd, a mynychu ambell gyngerdd ac opera.

Cynghorwyd Megane ar ei dyfodiad yno i gau ffenestr ei hystafell pan fyddai'n ymarfer canu rhag tarfu'r cymdogion. Ond yn fuan cafwyd cynrychiolaeth ohonynt yn erfyn arni i agor y ffenestr o led y pen er mwyn iddynt gael clywed ei llais soniarus. Yn ddiolchgar iddynt ac yn barod i'w plesio, canodd hithau iddynt ganeuon syml yn cynnwys alawon Cymraeg, bid siŵr, a dyna lle'r ymgynullent, yn y dorau ac ar falconi, yn gwrando'n astud. Eglurodd 'Madame' Olivier iddynt mai brodores o Gymru, gwlad Lloyd George, oedd y gantores ieuanc. Bu'r cymdogion yma yn ddilynwyr selog iddi yn ei pherfformiadau operatig yn y ddinas ymhellach ymlaen.

Cafodd Megan lu o brofiadau yn ystod ei harosiad hir gyda'r teulu yn Rhif 19. Yma yr oedd pan hyrddiwyd Ewrob i ganol galanastra Rhyfel 1914-1918. Cofiodd yn hir am y tro hwnnw ychydig cyn i'r trybini dorri allan, i M. Jaures gael ei saethu'n farw. Trigai'r gŵr hwn mewn tŷ dros y ffordd i gartre'r Oliveriaid. Torrodd sŵn yr ergyd ar ddistawrwydd un bore, a gwaeddai Blandine—"C'est la guerre, c'est la guerre!" Methai Megane ddeall pa gysylltiad oedd rhwng saethu'r dyn yma a rhyfel, oblegid nid oedd hi ond yn ei adnabod fel dyn bach distaw a chwrtais. Estron iddi hi oedd maes gwleidyddiaeth, ac yn ei diniweidrwydd ni wyddai fod Jaures yn Gomiwnydd, ac o anian chwyldroadol. Rhybuddiwyd hi i aros yn ei hystafell rhag ofn iddi weld y corff yn cael ei gario i'r tŷ. Rhoddwyd gwarchodlu o filwyr i wylio'r cwmpasoedd, ac archwiliwyd pawb a oedd yn mynd a dod yn ofalus. Sibrydid fod yna gynllwyn i saethu'r arch yn y cynhebrwng. Ond ni bu anghaffael felly.

Druan o 'Madame' Olivier! Mor fawr oedd ei gofal o'r ferch estron a arhosai dan ei chronglwyd. Ofnai iddi gael ysgytiad o fod yn dyst i'r trasiedi hwn ac yr amharai'r braw ar ei llais. Ond yr oedd natur Megane yn wytnach nag a feddyliodd hi.

Torrodd y rhyfel allan. Daethpwyd yn gyfarwydd â gweld milwyr ymhobman, dogni ar fwyd, y blacowt, a'r holl gêr annifyr.

Yr oedd mab 'Madame' yn aelod o Bwyllgor y Cynghrheiriaid. Pan oedd gartref ar dro unwaith, troes at Megane, a dweud wrthi'n reit ddicllon, "Os na wnâi Prydain y peth a'r peth, mi wnawn . . ." "Druan o Brydain," meddai hithau, gan deimlo'i gwaed yn cynhesu, "yr ydych yn disgwyl cymaint oddi wrthi." "Yr ydym hwyrach," meddai yntau wedyn yn dawelach, ac yn siriolach, "yr ydych yn gywir." Swyddog milwrol ydoedd, a phan fu farw ychydig yn ddiweddarach, yr oedd ei fam yn bryderus iawn am i'r awdurdodau rwymo'r faner drilliw Ffrengig amdano yn ôl ei ddymuniad. Wrth ei gweld yn manylu am beth felly ym merw ei phrofedigaeth, sylwodd Megane o'r newydd fod 'Madame' Olivier yn Ffrances i'r bôn, ac ni allai lai na'i hedmygu am hyn.

Bu'r cyfnod o bum mlynedd y bu hi'n byw gyda'r Oliveriaid yn bwysig iawn i Megane yn ei gyrfa. Ni allwn ddatgysylltu yr addysg a'r addasu a gafodd yma oddi wrth yr hyfforddiant cerddorol glasurol a dderbyniodd gan Jean de Reszke. Llyfnhawyd y ffordd i'r athro, a'i gwneud hithau yn barotach i dderbyn a gwerthfawrogi ei addysg arbennig ef.

PENNOD 6

Dylanwad Jean de Reszke

Tywylltai'r glaw yn ddiddiwedd, a chrogai'r cymylau llwyd-ddu yn isel yn yr wybren. Prynhawn diawen a disymud. Leila Megane oedd yr unig ddisgybl ar y pryd yn salon Jean de Reszke ar wahân i'r pianydd cyflogedig. Galwodd yr athro hi i mewn i'w lyfrgell i oedi hyd oni wellai'r tywydd. Yno 'roedd rhesi o gyfrolau wedi eu rhwymo â lledr costus. Ar un pared hongiai darlun hardd o'r athro wedi ei lofnodi gan Caruso, Tamagno a Titta Ruffo, ac oddi tan yr enwau, y frawddeg, "Oddi wrth dri artist i'r artist mwyaf a welodd y byd erioed!"

Ond yr hyn a dynnodd sylw Megane yn arbennig ydoedd dysgl arian brydferth. Disgleiriai hon fel gem, gan adlewyrchu popeth o'i chwmpas. "O!" meddai, "dyma ddysgl dlos." "Aha!" ebr de Reszke, a gwên yn lledu dros ei wyneb, "Y Frenhines Victoria a'i cyflwynodd imi fel rhodd bersonol am y mwyniant a roddwn wrth ganu iddi." A thynnodd y darn gwerthfawr yn ofalus oddi ar ei silff, a dangos arfbais yr Ymerodraeth Brydeinig arni, ac wedi ei llythrennu, 'Oddi wrth y Frenhines Victoria i Jean de Reszke'.

Gwyddai Megane fod y meistr yn ffefryn llysoedd brenhinol, ac ni ryfeddai. Yr oedd ei ymddygiad mor naturiol-foneddigaidd a graenus. Cyfrifai ef y Brenin Edward VII a'r Frenhines Alexandra ymhlith ei ffrindiau gorau. Apeliodd yn daer ar Megane am ganiatâd i ofyn i'r Frenhines Alexandra i'w nawddogi, ond ni fynnai hi hynny o gwbl.

Dinesydd Rwsiaidd ydoedd de Reszke, er iddo gael ei eni a'i fagu ym Mhwyl. Yr oedd o waed aristocrataidd, ond ysbeiliwyd llawer o'i dda a gwasgaru'r rhan fwyaf o'i ystadau yn sgîl dryswch a therfysg gwleidyddol. Ymbriododd â Marie, merch i Dug de Gaulaine. Rhwng y ddau, felly, 'roedd yr awyrgylch yn bendefigaidd, a moethusrwydd a chwaeth yn amlwg yn eu cartref.

Canu a cherddoriaeth oedd holl fywyd Jean de Reszke. Yn

anterth ei ddyddiau efe yn ddiamau oedd tenor enwocaf byd yr opera. Bu'n bartner i Adelina Patti a Nellie Melba ar y llwyfannau mawr, ac at y gŵr medrus hwn yr arweiniwyd Megane i berffeithio'i dawn. Enynnodd ef ei hedmygedd llwyr o'r cychwyn, a bu hithau dan ei gyfarwyddyd fel disgybl am chwe blynedd, oni ddatblygodd y berthynas yn gyfeillgarwch dwfn a phur. Wedi iddi ymadael bu'r ddau yn gohebu'n gyson am flynyddoedd. Trysorodd hithau ei lythyrau a chafodd eu cyfieithu o'r Ffrangeg i'r Saesneg. Gresyn na châi bechgyn a merched y Gymru gyfoes y fraint o'u gweld a dysgu a deall beth yn wir yw calon a gwreiddyn cerddoriaeth bur.

Bu dylanwad Jean de Reszke ar fywyd Megane yn ei grynswth yn aruthrol. Tyfodd yn eilun iddi, ac aeth ei ddysgeidiaeth yn rhan annatod o'i phersonoliaeth. Nid oedd y gwersi caled ac undonog, mynd dros yr un nodau a'r un brawddegau am y degfed a'r ugeinfed tro, yn troi'n ddiflastod. Nid oedd yntau yn un hael ei ganmoliaeth hyd oni cheid perffeithrwydd. Yr oedd ei safon yn uchel, a mynnai dynnu pob egni a phob gwreichionen o dalent allan o'i ddisgyblion.

Ar y dechrau cymerai Megane un wers yr wythnos: yna dair gwers, ac yn fuan iawn âi ato bob dydd. Gwelodd ef fod ynddi athrylith a phenderfyniad, a phan briodir y ddwy nodwedd mae'r tir yn barod i'r had. Carai ef pe cawsai hi ei chynysgaeddu â chyfansoddiad cryfach, canys 'roedd dygnwch a dyfalbarhad yr ymarfer cyson yn ddigon i wanychu'r cryfaf o gorff. Cynghorai hi bob amser i fwyta'n dda. Gwyddai ei ffrindiau fod Jean de Reszke gymaint o *gourmet* ag o gerddor. Yr oedd ymborthi'n dda yn rhan bwysig o'i efengyl.

Mewn ystafell fawr, salon, yn ei gartref y dysgai ei ddisgyblion, pob un yn ei dro. Yng nghwrs y datblygu, ac fel yr oedd gwersi Megane yn trymhau, gofalodd yr athro sicrhau stôl fechan er mwyn iddi ymlacio ychydig yn ystod yr ymarfer. Eithr nid melys y dysgu bob amser, ac unwaith neu ddwy bu hithau yn methu atal llif y dagrau wrth ei thasg. Mor bell oedd pinacl perffeithrwydd ac mor anodd ac araf y dringo yno! Ar brydiau yr oedd calon y cryfaf ar dorri, ond nid oedd troi yn ôl a Jean de Reszke yn annog ac yn mynnu gyrru i'r eithaf. Eithr yr oedd penderfyniad Megane fel y dur, a'i delfryd o hyd yn galw.

Yn y tŷ hefyd yr oedd ystafell anferth wedi ei throi yn theatr, efelychiad o theatr go iawn, gyda seddau esmwyth, cafn i'r gerddorfa a'r trimins i gyd, a'r cwbl wedi ei addurno a'i oreuro'n gelfydd. Cynhelid perfformiadau preifat yma i gwmnïoedd dethol, a chafodd Megane yr anrhydedd o ganu yma droeon wedi aeddfedu yn ei chrefft.

Yr oedd gan Jean de Reszke frawd o'r enw Edouard, yntau hefyd yn ganwr operatig o fri, a chariad brawdol dwfn iawn yn ffynnu rhwng y ddau. Heblaw bod o'r un gwaed yr oeddynt hefyd o'r un anianawd, a'u gofid mwyaf oedd gorfod byw ar wahân ac ymhell oddi wrth ei gilydd. Pan gydgyfarfyddent ar dro, sylw Megane oedd eu bod yn edrych fel dau dedi-bêr mawr yn cofleidio ei gilydd. "Ond yr oedd yn amheuthun gweld dau frawd yn mwynhau ac yn gorfoleddu yng nghymdeithas ei gilydd," meddai. Ychydig o fisoedd cyn marw Edouard dangosodd Jean i Megane lythyr a dderbyniasai oddi wrtho, llythyr maith yn codi o waelod calon. "Gwn rywsut," meddai'r athro a'i lygaid yn fôr o ddagrau, "mai dyma'r geiriau diwethaf a dderbyniaf ganddo." A gwir y proffwydodd. Aeth Jean de Reszke yn ddrylliau. Chwalwyd y gyfathrach glòs.

Colli'r mab yn y Rhyfel oedd y trasiedi arall a ddigwyddodd i'r meistr yng nghyfnod hyfforddiant Megane. Bwriodd hyn ef a'i wraig, ei anwylaf Marie, i bydew isaf a duaf galar. Amhosibl cysuro'r fam. Daethai Megane i adnabod y mab, bachgen nobl, deallus a hoffus. Yr oedd yn arlunydd da, ac fe dynnodd ddarlun campus o'i fam mewn pensel. Edmygai Megane hwn yn fawr, canys 'roedd y tebygrwydd mor gywir a naturiol. Sylwasai Madame de Reszke ar ei gwerthfawrogiad o ddawn ei mab, a chafodd argraffu copi o'r llun gwreiddiol a'i gyflwyno iddi.

Yng nghanol y brofedigaeth, cofiai Megane yn union sut y teimlai hithau pan fu farw ei thad, a llifai'r dyddiau hynny 'nôl yn fyw iawn i'w meddwl. Rhoddai hyn fin a didwylledd yn ei chydymdeimlad â'r rhieni trist, a gallod fynd i mewn i ddwyster eu profiad. Esgorodd rhyw berthynas newydd ac arbennig rhyngddynt o hynny ymlaen.

Mewn rhyw ystyr cymerai Jean de Reszke ddelw tad yn nhwf a datblygiad Megane fel cantores, ac yr oedd rhai nodweddion ynddo yn ei hatgoffa'n fynych am ei thad, yn enwedig ei or-ofal amdani, a hithau erbyn hyn yn ddynes gyfrifol. Ei ffafr-enw arni oedd "My little savage," hynny oherwydd ei bod yn dod o ganol mynyddoedd Gogledd Cymru, a heb gael ei difetha gan arferion a moesau tref. Dywedodd droeon wrthi ei bod hi ac yntau yn estroniaid yn Ffrainc, a phob tro y soniai am Bwyl, 'roedd ei deimladau yn cael y trechaf arno. Addolai ef ei wlad yn llythrennol, ei phridd a'i phobl a hwyrach i hyn ddylanwadu ar serch Megane hithau tuag at Gymru fach. Fe'i gyrrodd hyn hi yn y diwedd yn ôl i Gymru, i ganol tlodi ei gwerin, gan adael bri y llwyfannau mawr.

Efe a'i hanogodd i fabwysiadu'r enw dwbl Leila Megane fel enw proffesiynol, a Leila Megane a fu hi byth wedyn. Yr oedd yna gannoedd gyda'r enw Megan yng Nghymru, ond nid oedd ond un Leila Megane.

Y flwyddyn olaf o'i thymor yn Ffrainc bu'n byw gyda'r de Reszkeiaid fel un o'r teulu. Symudasent dros dro i Fontainebleau, oherwydd 'roedd awyrgylch Paris, a mynych ruo'r Zeppelinau uwchben yn mennu ar eu nerfau. Ac ar ambell ddiwrnod, a'r gwynt o du'r dwyrain, 'roeddynt yn clywed pell atsain y gynnau mawr. Rhwbiai'r cwbl hyn yr halen i friw yr hiraeth trwm ar ôl y mab.

Sylweddolai Megane pa mor uchel y safai yn serchiadau y de Reszkeiaid iddynt ei gwahodd i rannu eu haelwyd, cysegr sancteiddiolaf eu bywyd. Addunedodd hithau yn ddistaw y gwnâi ei gorau i'w cysuro yn eu hunigrwydd.

Treuliwyd amser dedwydd ar lawer ystyr yn y Villa yn Fontainebleau. Yn fynych ar brynhawnau gwelid y tri ohonynt yn crwydro llwybrau'r goedwig gyfagos, a chŵn bach Marie wrth eu bodd yn carlamu o'u cwmpas. Mor anodd oedd dychmygu ar origau fel hyn fod gwerinoedd Ewrob yng ngyddfau ei gilydd!

Parhaodd y gwersi, a daliodd Megane i gyflawni telerau ei chytundeb. Eithr yn Fontainebleau yr oedd ei phencadlys, a

53

phan âi allan ar hynt ei chanu proffesiynol yr oedd ôl a graen y meistr arni. Dywedodd ef droeon mai ynddi hi yr oedd wedi llwyddo orau i drawsblannu ei feddylfryd cerddorol, a chyda gwên foddhaus ar ei wyneb, ychwanegu, "Dyma de Reszke mewn sgert!" Gwyddai Megane y medrai ar awr hwyliog ei efelychu'n reit dda, ond ni freuddwydiodd y derbyniai hi ganmoliaeth fel hyn, canys canmoliaeth ydoedd o'r radd flaenaf.

Yn ei statws fel un o'r teulu, enillodd Megane lawer o'u hymddiriedaeth ac o'u serch hefyd. Yr oedd fel pe bai Rhagluniaeth wedi ei hanfon atynt ar gyfnod du yn eu bywyd, er na fedrai hi na neb arall lanw lle mab eu mynwes, ond yr oedd hi o'r un genhedlaeth ag ef, a gwnaeth asbri ei hysbryd lawer i liniaru'r graith. Rhoddodd Mme. De Reszke dlws gwerthfawr iddi i gofio amdani, ac oherwydd iddi edmygu pâr o gyfflinciau ganddo yntau, fe'u cafodd hwythau y funud honno. Eglurodd mai anrheg oeddynt a dderbyniodd gan Edward VII. Cafodd Megane eu troi yn ddiweddarach yn frôtsh-bar.

Tua diwedd y flwyddyn yma, teimlai Megane fod rhywbeth yn pwyso'n drwm ar feddwl y meistr. Ffoesai ei sioncrwydd meddwl cynhenid, ac eisteddai tristwch ar ei wynepryd. Ni lwyddai parablu herciog ei barot i godi ei bruddglwyf. Ymdrechai fod yn llawen ac afieithus yng nghwmni ei wraig, ond gwyddai Megane mai actio yr oedd. Un prynhawn wedi gorffen chwarae cylch o biliards gydag ef, galwodd hi ato, ac o dan angerdd teimlad, a chan afael yn dyner yn ei llaw, dywedodd wrthi ei fod yn ymwybodol fod ei ddyddiau ar y ddaear yn dirwyn i ben, gan ddilyn beth amser ar y thema drist. Ni wyddai hithau sut i ymateb i hyn. Teimlai'n gyffrous ac mewn penbleth, ac ar goll am eiriau. Ceisiodd gymryd y newydd yn ysgafn, ond yr oedd yn amlwg fod Jean de Reszke o ddifrif. Syllodd i fyw ei llygaid, gan dywallt ei galon, oherwydd dyfalai y medrai hi gydag enaid y Celt a'i meddwl piwritanaidd ei ddeall. Ymbiliodd arni i wneud adduned iddo, a chydsyniodd hithau mor ddi-gryn â phosibl o dan yr amgylchiadau. Hawdd iawn oedd adnabod wrth fynegiant ei

Rhan o lythyr a dderbyniodd Leila Megane oddi wrth Jean de Reszke.
Ynddo y mae'r athro'n canmol ac yn talu teyrnged i'w ddisgybl

wyneb y golygai rywbeth anhraethol o fawr iddo. "Tri pheth a ddeisyfaf gennych," meddai:

1. "Peidiwch byth â gwerthu eich celfyddyd yn rhad, hyd yn oed os daw tlodi i'ch rhan. Na phrynwch eich ffordd i lwyddiant, trwy lwgrwobrwyo, cribddeilio, na dim o'r fath."

II. Parhewch yn onest a didwyll, gan fyw bywyd glân a phur, a dal i gario awyrgylch y dwyfol i bob cylch o fywyd."

III. "Deliwch yn gadarn yn eich credo, a byddwch yn ffyddlon i chwi eich hun. Os gwnewch, byddaf yn hapus."

Awr gyforiog o ddwyster a thynerwch oedd hon, a gwnaeth argraff annileadwy ar Megane. Pa beth bynnag oedd i ddyfod i'w rhan yn y dyfodol tywyll, fe wnâi ei gorau i gadw ei haddewid, ac i gario fflam olau addysg Jean de Reszke yn ddilychwin.

O dan gyfarwyddyd Jean de Reszke dewisodd Leila Megane gychwyn ei gyrfa fel cantores operatig gyda'r ddwy opera, 'Werther' gan Massenet ar eiriau Goethe, ac 'Orphée' gan Gluck, a threfnwyd taith drwy'r trefedigaethau Ffrengig cyn mentro ar oleuadau Paris. Mewn gwirionedd cyfle oedd y daith yma iddi gymhwyso ac ymarfer gogyfer ag oriau mawr anterth ei pherfformio ar lwyfannau mwy. Rhaid oedd actio yn awr yn ogystal â chanu, a dyma oedd y sialens.

Cafodd gyfres o wersi i'w haddasu at hyn gan Mlle. Merol, disgybl i'r enwog Coquelin. Dynes ieuanc, lled anghyffredin ydoedd hon, ac ni fedrai Megane dreiddio i'w phersonoliaeth o gwbl. Dynes oeraidd a phell, ond yn ddiwylliedig a gweithgar dros ben. Bu ei hyfforddiant yn llesol odiaeth, ac wrth berfformio'r operâu amrywiol, teimlai Megane yn ddyledus iawn iddi.

Amser caled fu hwnnw yn ei hysgol hi. Y peth casaf gan Megane oedd mynd ar ei chyfyl, a theimlai awydd cryf i chwarae triwant yn aml, ond ni chymerai'r byd am ddigio de Reszke. Pwysleisiai ef y pwysigrwydd o fanteisio ar bob gwers ar waith llwyfannu, gyda'r athrawon gorau y gallai dinas Paris eu cynnig. Felly gwnaeth ei gorau i ymarfer cydbwysedd a'r ystumiau Groegaidd, cyn gynted ag oedd yn bosibl. Pa un ai llwyddiant ai aflwyddiant oedd cyflawni'r gwahanol gastiau, ni ddywedai'r athrawes fawr o eiriau. Yr oedd cyn oered â'r bedd, a theimlai Megane iasau yn rhedeg drosti bob tro yr âi i'w phresenoldeb. Mor wahanol oedd awyrgylch gynhesol salon Jean de Reszke! Eithr rhoddodd hyfforddiant Mlle. Merol ymddiriedaeth iddi fel actores yn yr operâu, canys mae'r actio mor bwysig mewn mannau â'r canu. Mae'n rhaid wrth y naill a'r llall.

Bu ymweld â'r trefedigaethau yn brofiad gwerth chweil iddi. Erbyn hyn medrai siarad Ffrangeg yn rhugl, a da hynny canys Ffrancod oedd o'i chwmpas ymhobman. Wrth ganu rhaid iddi fod yn ddwbl-ofalus gyda'r acen a'r dehongli, os oedd am ennill eu gwrogaeth. Aeth i Deauville, Bordeaux, Lyons ac yn olaf i Nantes. Ymhob un o'r trefydd hyn, 'roedd y cast yn newydd ac yn ddieithr iddi, ac ni chafwyd un math o rihyrsal cyn y perfformiad byw.

Rhoddwyd praw ar ddygnwch a nerth Leila Megane yn ystod y cwrs hwn, yn ogystal â'i sêl a'i chariad at y gwaith. Daeth i wybod fod yna gryn wahaniaeth rhwng yr ymateb a roddai'r gwahanol gynulleidfaoedd i'r perfformiad, a dysgodd ei thiwnio'i hun megis i hyn. Sylweddolodd hefyd pa mor anodd oedd canu mewn ambell adeilad. Yr oedd problem yr acwsteg yn gosod dipyn o dreth ar gynhyrchiad ei llais.

Llogasid gwesty o'r radd flaenaf iddi ymhob tref, ac fe siarsai de Reszke y rheolwr bob tro i ofalu'n dda amdani. Mewn gwesty yn Bordeaux 'roedd y rheolwr wedi paratoi rhyw ddiod riniol, ond cyfoglyd, iddi ei yfed cyn mynd i'r theatr. Rhag ei ddigio a'i sarhau am ei drafferth, fe'i hyfodd i'r gwaelod. Beth ydoedd? Y sug wedi ei wasgu o ddau bwys o olwyth eidion, gyda thipyn o grefi i'w wneud yn flasus! Gallai feddwl, wrth ganmoliaeth y rheolwr i'r trwyth, y medrai wynebu llond neuadd o deirw ar ôl gwthio hwn i lawr ei chorn gwddf.

Un peth a'i diddanodd yn fawr yn ystod y daith, oedd y derbyniad ffafriol a roddid iddi gan werin Ffrainc, a hithau'n estron yn eu plith. Teflid blodau, glystyrau ohonynt, ar y llwyfan, a chyflwynid pwysïau heirdd iddi ar ôl pob noson, gyda llinyn hir o edmygwyr yn casglu ei llofnod wrth y pyrth.

Gyda'r nos y cynhelid yr holl berfformiadau, ac wrth ymlacio yn ystod y dydd, ei hyfrydwch oedd darllen y beirniadaethau ar yr opera yn y wasg leol, ac ar ei rhan hi yn arbennig:

"Canu rhwydd. Y dechneg gywir o gynnal y llais. Arddull seml ond campus. Anodd olrhain ei gwreiddiau, mae'r iaith mor bur." *La Phare.*

"Llais gwych o'r ansawdd gorau. Arddull bur a chwaethus. Synnwyd pawb a'n cyffroi i'r mêr." *Cronique Théatral.*

"Llais a fedr ganu fel bariton, ond eto'n glir yn y nodau uchaf—canu tri octef fel ei gilydd. Swyn naturiol, lliwio melfedaidd. Rhagorol!" *La Louvelliste de Lyons.*

"Cafodd y tenor Jean de Reszke dir wedi ei fraenaru'n dda yma, ac ni allai ond rhoi pleser a mwynhad iddo i weithio arno." *La Liberté.*

"Cadarnhaodd Mlle. Leila Megane yn ei rhan fel Charlotte y

coethder ansawdd y soniwyd amdano eisoes. Mae ganddi lais cynnes, lliwgar, mynegiadol, aeddfed a phersain. Dysgodd ei harddull mewn ysgol dda. Gwelwn o'n blaen bersonoliaeth. Mae ei chanu'n ddyrchafedig, celfydd a chwaethus." *Liberté du Sud Coust.*

Dyma farn a chyfarchion papurau Ffrainc i Leila Megan.

Er bod Leila Megane yn gantores naturiol yr oedd yn ofynnol iddi feistroli'r dechneg yn llwyr, fel y gallai wrthsefyll y tyndra a'r dreth gorfforol a osodir ar bob datgeinydd.

Cafodd wersi mewn geirio ac ynganu cywir gan Mlle. Avril, un o actoresau disglair Madam Rejane. Yr oedd hi bellach yn reit rugl yn yr iaith Ffrangeg, a gallai felly gyfleu yn ddiffuant ystyr a neges yr hyn a ganai, ac wrth hyn greu awyrgylch berthnasol.

Yn ffodus iawn cafodd adnabyddiaeth bersonol o M. Fontaine, yr artist a oedd wedi anfarwoli rhan 'Werther' yn yr opera o'r un enw, a bu'n perfformio gydag ef ym Mharis. Gŵr digon garw ydoedd o bryd a gwedd, braidd yn wargrwm, gydag wyneb mawr, ceg lydan, gwefusau trymion a gên ymwthgar. Ond yr oedd yn bersonoliaeth annwyl a hawddgar, a'i ganu a'i actio mor nodedig fel yr anghofiai pawb am ei hagrwch. Braint oedd camu ar yr un llwyfan ag ef.

Bu dysgeidiaeth Mlle. Merol yn fantais fawr iddi yn ystod ei pherfformiad un noson yn Bordeaux. Yn ystod yr ail olygfa o'r opera wrth adael yr eglwys, gafaelodd cynffon hir ei llaeswisg yng nghil y drws, a bu rhaid iddi greu tipyn o actio difyfyr. Gwelai ddigrifwch y sefyllfa ond ni feiddiai fradychu hynny. Clybu'r warden y tu allan ei sŵn hi'n tynnu'r wisg, ac agorodd y drws ar unwaith, gan gymryd arno mai rhan o'r act oedd y cwbl. Yn hamddenol ac urddasol cusanodd ei llaw, a'i harwain i lawr grisiau'r eglwys i'r llwyfan. Ni wyddai'r gynulleidfa ddim am yr amryfusedd ac aeth popeth ymlaen yn ôl y rhaglen. Bu'r ddawn reddfol o actio a oedd ganddi yn gymorth iddi droeon mewn cyffelyb amgylchiadau.

Pwysleisiai de Reszke y rheidrwydd o fod yn drech na throeon trwstan, i rag-weld y posibiliadau a bod yn barod i ymateb iddynt yn naturiol, ac anogai hi i gario dogn helaeth o synnwyr cyffredin i'r llwyfan bob amser. Nid digon y wybodaeth glasurol ar ei phen ei hun. Ac at hyn yr oedd gofyn bod yn berffaith hamddenol a diffuant yn ei phortreadau.

Prynhawn gyda Patti

Tra oedd Leila Megane yn ei pharatoi ei hun i ddisgleirio ym myd y gân ym Mharis, yr oedd y seren lachar, Adelina Patti, yn araf fachludo. Pwy na wybu am y *prima donna* fyd-enwog hon? A phwy a'i clybu yn canu yr alaw fach seml, 'Home Sweet Home', na theimlodd wefr yn ei galon? Dywedodd un o'i chyfoeswyr wrth Megane unwaith, "'Roedd y Duw mawr ei hun wedi ffafrio Patti". Ffynnai cyfeillgarwch dwfn rhwng Tetrazzini a hithau ac ni synnai Megane ei chlywed yn dweud hyn.

Gallwn ddychmygu'r llawenydd felly a gafodd Megane pan ddaeth cyfle iddi ymweld â Patti. 1916 oedd y flwyddyn a hithau ar wahoddiad Arglwydd ac Arglwyddes Glanusk wedi dod drosodd o Ffrainc i Gymru am ysbaid fer o orffwys oddi wrth ei hastudiaethau. Ymgartrefent hwy gerllaw Aberhonddu, ac er gwaethaf y dogni ar oel, llwyddwyd i deithio i Graig-y-nos, preswylfod Patti, nid nepell o Abertawe.

Cafodd Megane groeso nodedig. Gwyddai amdani oherwydd 'roedd Jean de Reszke wedi peintio darlun clir ohoni yn ei lythyrau iddi. Er bod Patti dan annwyd trwm y prynhawn hwnnw, 'roedd ei llais wrth lefaru yn esmwyth a llyfn ac yn llawn melodi. Hawdd fuasai i fabanod y byd gysgu'n swp pe baent ond yn ei chlywed yn siarad: llifai'r geiriau o'i genau fel suo-gân. Ni fuasai neb yn blino gwrando arni.

Bonheddwr o waed oedd ei phriod, y Barwn Cedestron. Hanai ef o wlad Sweden, ac fel y mwyafrif o'i gyd-genedl yr oedd yn ddyn tal, golygus. Ni roed llawer o le na chyfle iddo ef i siarad, a'r merched wrthi yn cymryd y llwyfan fel petai. Ond cymeriad distaw ydoedd wrth natur, a'i ofal am ei feistres yn fawr.

Y diwrnod dan sylw gwisgai Patti ffrog ddu, gyda siôl fach wau hen-ffasiwn dros ei hysgwyddau. Eglurodd mai newydd golli ei chwaer yr oedd. Fflachiai ei dwylo gan y modrwyau gemog drud ar ei bysedd, ond yr hyn a dynnodd sylw Megane oedd ei horiawr,—un fechan wedi ei addurno'n gywrain â'r adamantau disgleiriaf a dolen adamant i'w phinio ar y wisg. Daeth geiriau John Keats i feddwl Megane, *A thing of beauty is a joy forever.*

Un fechan o gorff oedd Patti, a synnodd Megane ei bod gryn dipyn yn fyrrach na hi. Ac meddai wrthi, "Tybiwn erioed, er pan oeddwn yn hogan ysgol, eich bod yn rhyw frenhines dal, a dyma chwi ond yn cyrraedd hyd at fy ysgwydd." Chwarddai Patti yn iachus am hyn gan gerdded ar flaenau ei thraed, a'i llygaid yn pefrio'n ddireidus. "O! Megane, mae'n hyfryd eich cyfarfod," meddai. Ymhen ychydig amser 'roedd y ddwy fel hen ffrindiau a'u serch at yr un gelfyddyd yn eu gosod ar yr un tir: dwy galon yn curo i'r un cyfeiliant.

Safai Craig-y-nos yn blasty hardd mewn llannerch dawel ymhell o 'sŵn y boen sy' yn y byd'. Paham y dewisodd hi a'r Barwn ymddeol i'r rhan bellennig yma o'r byd? Yr ateb oedd, "'Rydym yn caru Cymru a'i phobl yn angerddol, ac mae'r awyr yma yn garedig i'r llais."

Canodd Megane nifer o ganeuon, gan ddewis yn olaf un y faled swynol, 'Cydymdeimlad'. Eisteddai Patti ym mhen pellaf yr ystafell yn hoelio ei llygaid arni. Wedi tewi o sain y nodyn diwethaf, nesaodd Patti a chan blethu ei dwyfraich am wddf Megane wylodd yn hidl. "Fy mhlentyn annwyl, annwyl," meddai "Fe ddwedodd Jean [Jean de Reszke] y gwir wrthyf." A chan droi ei llygaid mawr dan yr aeliau trymion at Megane ychwanegodd, "Y mae'n rhaid i'r byd gael clywed eich llais. Ysgrifennaf yn syth at fy nghynrychiolydd busnes, i drefnu ichi ymddangos yn yr Albert Hall." Yr oedd Madam Patti yn llawn brwdfrydedd, ond ysywaeth nid oedd hyn i fod. Barnai de Reszke nad oedd Megane yn llawn digon aeddfed eto i sylweddoli dymuniad eos Craig-y-nos.

Wedi cinio dangosodd Patti y theatr fach a oedd ganddi mewn rhan o'r tŷ. Trefnwyd hon ar yr un llinellau ag eiddo de Reszke, y cynllun a'r lliwiau ymron yr un. Tynnwyd y llenni i lawr i ddangos sut oeddynt yn gweithio. Arnynt wedi ei beintio 'roedd darlun o gerbyd Rhufeinig gyda cheffylau gwynion a Patti yn ei yrru. Gogoneddus! "Rhaid i chwi ddod i aros yma ymhellach ymlaen," meddai Patti, "Fe drefnwn gyngerdd yma a ninnau'n dwy'n canu. Mi gawn hwyl iawn." Ni fuasai dim yn bodloni Megane yn well, ond ni throes y breuddwyd hwn ychwaith yn ffaith. Teimlai nerth o'r newydd yn yr awyrgylch ddelfrydol yma. Yr oedd yn amlwg fod Patti yn berffeithydd; felly y dymunai hithau fod.

Aethant yn ôl i'r salon lle cadwai Patti ei thrysorau, ac yr oeddynt yn niferus. Ar fwrdd pwrpasol ar ganol yr ystafell yr oedd ffotograffau o bennau coronog y byd a dalodd deyrnged i'r gantores, a'r rheini mewn fframau wedi eu haddurno â pherlau a gemau coeth. Y fath gyfoeth! Lle tywynnai goleuni bychan, tynnwyd darn o'r pared allan i ddangos organ fawr Ysbaenaidd a weithiai fel pianola, yn cynnwys recordiau o holl ganeuon a datganiadau operatig Patti gyda cherddorfa. Fel yr oedd hi'n bywhau drwyddi wrth ddangos y rhain! Serennai ei llygaid a thorrai allan i sisial ganu pwt o'r darn yma a'r darn arall. "Y mae'n biti fod yr hen annwyd yma arnaf," meddai, "neu mi ganwn o ddifri! Ond fe ddaw yna gyfle eto. Mae gennyf gymaint o bethau y carwn eu dweud wrthych, Megane annwyl."

Yn anffodus ni chafodd Megane y fraint o'i chlywed na'i chyfarfod wedi'r tro hwn. Trefnwyd iddi fod yn Covent Garden ar noson ymddangosiad cyntaf Megane yno, ond yr oedd yn rhy wael a bregus ei hiechyd i fod yn bresennol. Bu farw yn fuan ar ôl hynny. Hiraethai'r byd ar ôl y llais nas clywid mwy, a theimlai Leila Megane chwithdod garw o golli ffrind o'r un reddf â hi.

PENNOD 8

Egwyl yn Rhufain

Ni fu'r môr a'r wybren yn lasach erioed na'r gwanwyn hwnnw yn 1916 a Leila Megane ar ei ffordd i ymweld â Rhufain, ar wahoddiad ffrind ffyddlonaf ei bywyd, Miss Marion Kemp.

Ar gyngor ei chyfeillion ym Mharis torrodd Megane ar ei siwrnai ac aros am fis o amser yng ngwesty'r Antibes ar lan Môr y Canoldir. Yr oedd gwir angen gorffwys arni oblegid nid oedd wedi llacio oddi wrth ei gwaith mewn gwirionedd oddi ar gadael cartref. Sylwodd un o'i ffrindiau, Mrs. Warden Garret, gwraig i un o swyddogion Llysgenhadaeth America ym Mharis, fod y llafur trwm yn gadael ei ôl arni, a hi o'i chalon garedig a wnaeth y gwyliau hyn a'r daith i Rufain yn bosibl. "Y mae'n rhaid i chi fynd," meddai, "dyma fy anrheg pen-blwydd (Ebrill 5ed) i chwi."

Y foneddiges yma a'i cyflwynodd yn y lle cyntaf i Miss Kemp. Llawer awr fendigedig a gafodd y tair ohonynt yn ystafell gerdd gwesty'r Ritz ym Mharis, yn sgwrsio a chanu, gydag Ivanovitch wrth y piano.

Mor hyfryd oedd hamddena'n braf yn yr Antibes, heb orfod poeni am gyngerdd na gwers nac opera; gorwedd diog yn yr haul dan gysgod coed orennau, neu ymlwybro hyd y gerddi a'r lawntiau ac i lawr y grisiau i fin y dŵr. Yr oedd mor hapus, ond ni allai beidio â meddwl mor ffortunus ydoedd. Cofiai yn dda am ei thad yn dweud wrthi bwysiced oedd cael y ffrindiau iawn mewn bywyd. Profodd hi droeon yn ystod ei hoes iddo lefaru calon y gwir.

Bu hi'n breuddwydio lawer gwaith am ymweld â phrifddinas yr Eidal, a phan welodd o'r pellter ei thyrau a'i phinaclau yn disgleirio yn yr haul, a'r trên yn chwyrnellu yn nes ac yn nes ati, o'r braidd y medrai goelio'r ffaith. Ai dyma Rufain Fawr!

Trigai Miss Kemp yn un o anheddau harddaf y ddinas, Rhif 22 Via Gregoriana, wedi ei gynllunio yn arbennig i chwaeth a safon ei berchennog. "Mewn difri," meddai Megane wrthi ei hun, "dyma beth yw nefoedd ar y ddaear!" Gorchuddid parwydydd y mwyafrif o'r ystafelloedd â thapestrïau sidan a phlygion o felfed, eithr er hyn a'r dodrefn cywrain a didol, yr oedd yr awyrgylch yn glòs a chartrefol. Yr oedd Marion Kemp yn ddynes oludog iawn, mae'n wir, ond perthynai iddi nodweddion na fedr aur ac arian eu prynu. Hoffai grwydro'r byd, ond treuliai'r rhan fwyaf o'i hamser yn Rhufain. Siaradai Ffrangeg, Eidaleg ac Almaeneg yn rhwydd, a medrai'r iaith Saesneg hefyd. Hoffai gerddoriaeth yn fawr iawn, ac ymhyfrydai yn y clasuron. Meddai ar lais swynol, a chafodd wersi gan Jean de Reszke.

Gweithiodd Megane a Miss Kemp yn galed i drefnu rhannau o'r ddwy opera, 'Werther' ac 'Orphée' i'w perfformio i barti o bobl fawr Rhufain, ryw bedwar cant ohonynt a wahoddwyd yno. Llogwyd cerddorfa fechan ddethol a chyfeiliwyd gan Count Cimara, un o hyrwyddwyr yr opera Rufeinig. Parhâi Megane â'i haddysg yn ystod ei thymor yn y ddinas dan ei gyfarwyddyd ef, a bu'n crefu arni i ymuno â'r opera yno, ond yr oedd hi yn rhwym i ymddangos ym Mharis.

Noson fawr oedd honno yn Rhif 22 Via Gregoriana, noson lawen mewn gwirionedd. Cydgymysgai acenion Ffrangeg, Saesneg ac Eidaleg â murmur y pistylloedd, ac edrychai'r lawnt a'r campasoedd fel bro'r Tylwyth Teg gyda goleuadau addurnol yn pefrio yma a thraw rhwng canghennau'r coed a'r llwyni.

Canmolwyd perfformiad Megane yn fawr, ac wedi deall mai Cymraes ydoedd o wlad Lloyd George, bu rhaid iddi ganu alawon Cymraeg. Ac yn yr awel falmaidd honno dan olau'r lloer a'r mil lampau trydan, torrodd allan nodau rhai o hen ffefrynnau gwerin Cymru, 'Ar Hyd y Nos', 'Pistyll y Llan' a 'Bugail Israel'.

Cyfarfu Megane â llu o bobl gyfrifol yng nghwmni Miss Kemp. Un o'r rhain oedd Commandatore Boni, pennaeth y Fforwm Rhufeinig. Oherwydd afiechyd methodd ddod i'r Noson Lawen, ond yr oedd yn flysig iawn am glywed y gantores ddieithr yn canu, ac os yn bosibl glywed rhai o'r darnau operatig. Golygai hynny gryn broblem, ond lle mae gwir ewyllys mae ffordd yn siŵr o agor.

Penderfynwyd cynnal cyngerdd operatig preifat iddo yn ei gartref, a chafwyd cymorth parod a chreadigol y nyrs a ofalai amdano yn ei waeledd. Un o urdd y Lleianod Glas ydoedd hi, ac edrychai yn sanctaidd-dlos yn ei lifrai syml o wyn a glas. Gofalodd hi lapio'r claf yn gynnes a'i gael i eistedd mewn lle pwrpasol i weld y llwyfan a drefnasid gyda lampau bach trydan yng nghanol y planhigion fel *foot-lights*. Yr oedd yn achlysur nodedig, yr awyrgylch yn gyfriniol gyda chyffyrddiad awen ac athrylith yn ymdreiddio drwy'r cyfan. Teimlai Megane yn agos iawn at yr Eidalwyr y noson honno.

Wedi'r diweddglo 'roedd llawenydd a gorfoledd wedi ymlid llinellau'r boen ar wynepryd y claf. Wrth gydsyllu ar golofnau'r Fforwm islaw, meddai Boni wrth Megane, "Ysbryd annwyl Cymru, mae'n rhaid eich bod gyda gwaed y Celt yn deall mor wirioneddol hapus oeddwn i wrth wrando arnoch yn canu. Medrwch hudo bodau arallfydol i gyniwair o gwmpas gyda'ch llais swynol. A chlywch, Signoria, pan groeswyf i'r ochr draw, gofynnaf am ganiatâd i fod fel taid i chwi er mwyn cael y fraint o wylio trosoch!" Yr oedd yn amlwg iawn ei fod wedi cael cysur a hedd y noson honno.

Derbyniodd Marion Kemp nodyn oddi wrtho y prynhawn dilynol gyda phwysïau hardd o flodau:

"Anwylaf Ffrind,

Dim ond ychydig o flodau o'r Palatino i ddweud wrthych beth na all geiriau ei lawn fynegi. Diolch o galon am eich holl garedigrwydd i mi. Mae'r Palatino fel pe'n gorfoleddu wedi llyncu yr harmoni dwyfol a ddaeth o enau eich eos Gymreig neithiwr. Dyma'r feddyginiaeth orau a gefais i adfer fy iechyd.
Gracombo Boni."

Ymhen ysbaid ar ôl hyn galwodd Megane arno i holi ynghylch ei iechyd. Yr oedd ei groeso'n wresog, a hawdd gweld yn nhanbeidrwydd ei lygaid fod yr hen afiaith wedi dychwelyd. Meddai wrthi mor frwdfrydig â hogyn bach yn sôn am degan newydd, "Y mae gennyf rywbeth diddorol iawn i'w ddangos i chwi." Wedi ei harwain i ystafell gerllaw dangosodd iddi gerflun toredig, a hwnnw newydd ei ddarganfod, canys glynai darnau o bridd y ddaear wrtho. Craffodd Megane, heb wybod yn iawn beth i'w ddweud, "Onid yw yn brydferth?" ebr ef, "Cenwch gân i artistwaith hen oes." Erfyniodd arni alw'r prynhawn canlynol, pryd y dangosodd iddi ddarlun o'r ddelw, gan estyn copi iddi hithau. Cerflun ydoedd o ferch yn marchogaeth tarw gwyllt, gan afael yn ei ffroenau, i bortreadu bod harddwch yn drech na grym.

Yr oedd darganfyddiad arall y mynnai Boni yr arch-aeolegydd ei ddangos iddi, er nad oedd eto yn barod ac yn agored i'r cyhoedd. Er bod ei hamser yn Rhufain yn tynnu at y terfyn am y tro, nid oedd am golli'r cyfle i weld y catacwm. Llond y lle o ddynion yn cloddio'n brysur. Gosodwyd ystyllen iddi hi i gerdded dros y rhwbel er hwylustod i edrych i mewn i dwll yr ogof. Ar y mur gyferbyn gwelai ddarlun mawr hir mewn lliwiau pastel ysgafn o Grist a'i ddisgyblion, a hwnnw mewn cyflwr da. Meddai un o'r gweithwyr wrthi, "Credir mai dyma'r unig ddarlun o'r math yma sydd mewn bodolaeth." Syllodd hithau mewn myfyrdod ar y llun yma wedi ei beintio gannoedd o flynyddoedd yn ôl, ac o dan y fath amgylchiadau. Daeth dyddiau'r Ysgol Sul ym Mhwllheli bell yn fyw iawn i'w meddwl, a rhoes ddiolch distaw fod ganddi'r cefndir i fedru gwerthfawrogi'r hyn a ddangoswyd iddi.

Yn ystod pob ymweliad â Rhufain ni wyddai Megane ymhle nac i bwy y gofynnid iddi ganu nesaf. 'Roedd Signor Cologni, bariton amlwg o'r genhedlaeth gynt a hen athro Jean de Reszke, wedi clywed amdani, ac ni allai hithau wrthod mynd i'w weld ef, a rhoi cân neu ddwy iddo. Erbyn hyn yr oedd yn hen ŵr ymhell dros ei bedwar ugain oed, ond ei feddwl mor fyw ym myd cerddoriaeth â dyn canol oed. Wedi ei chlywed yn canu ei sylw oedd, "Hawdd gweld ôl dysgeidiaeth de Reszke arnoch; y mae ef yn un o gymeriadau mwyaf athrylithgar yr opera glasurol." Rhoddodd gerdyn i Megane â'i lun arno ac yn ei law ei hun yr ysgrifen: 'I'r artist digymar, Signoria Megane. Cologni'.

Gan mai cyfuniad o ŵyl a gwaith oedd pob arhosiad yn Rhufain ni châi hi'r cyfle i deimlo'n flin a diflas. Bron na ddywedai ei bod yn canu'r dydd a chanu'r nos. Derbyniodd gennad o'r Llysgenhadaeth Brydeinig oddi wrth Arglwyddes Rodd, yn gofyn a fodlonai gymryd rhan mewn cyngerdd croeso i Dywysog Cymru, a roddid gan yr aelodau. Cedwid y trefniadau'n gyfrinachol er mwyn rhoi syndod a llawenydd annisgwyl i'r Tywysog, ac yr oedd Arglwyddes Rodd a'i chyfeillion wedi taro ar y syniad o gael Leila Megane, merch o Gymru, i ganu yn y cyngerdd.

Pa ffrog i wisgo amdani ar yr amgylchiad? Nid oedd ganddi ond un a oedd yn addas, a honno yn un ddu, ond pwysai Arglwyddes Rodd arni i wisgo mewn gwyn er mwyn cyferbynnu â'r llwyfan gwyrdd. Chwipiwyd hi felly i ffwrdd at Zaza, y cynllunydd dillad amlycaf yn Rhufain, a phan ddeallodd honno mai gwisg i gyngerdd croesawu Tywysog Cymru oedd eisiau arni, 'roedd mor hapus-gyffrous ag edn y gwanwyn ar aden. Llamai'n wisgi yma ac acw gyda phinnau a phapur, siswrn a sidan, gan siarad yn ddi-baid. Nid oedd Megane yn hyddysg iawn yn Eidaleg, er ei bod yn dysgu'n gyflym, ond medrodd ddilyn ffrwd geiriau Zaza yn lled dda.

Cyrhaeddodd y ffrog yn ei bambocs, creadigaeth ysblennydd mewn sidan llathr-wyn gyda chadwyn o fwclis a thaseli i glymu am y gwregys, a thlws yn gweddu i addurno llinell toriad y gwddf isel. Rhodd ydoedd y wisg o law Miss Kemp, ac i gwblhau'r effaith rhoes gylch adamantau ar ei phen. Wrth fynd mewn steil i'r Llysgenhadaeth y noson honno, meddyliai Megane amdani ei hun fel rhyw Cinderella, er nad oedd y gymhariaeth yn hollol gywir.

Wedi cyrraedd, cafodd ei synnu gan y paratoadau. Yr oedd yr ardd helaeth yn ddisglair gan fil o oleuadau, ac adlewyrchai coronetau a thlysau'r merched fel sêr aneirif. Gwisgai'r mwyafrif o'r dynion lifrai milwrol gyda lliwiau eu rhengoedd gwahanol. Yn wir, yr oedd yno gwmni llachar iawn, a'r gwin yn ffrydio'n goch. Edrychai'r Tywysog yn ieuengach rywsut na'i oedran, a chafodd groeso brwd gan y bobl bwysig.

Trefnwyd i'r tenor De Giovani ddyfod yno hefyd i gymryd rhan, a chanodd yn fendigedig. 'Roedd y gerddorfa lawn a oedd yno mewn hwyl cyfatebol i'r achlysur.

Pan ymddangosodd Megane ar y llwyfan, hawdd gweld y syndod syfrdanol ar wyneb y Tywysog. Gwridai Lillias Rodd yn foddhaus wrth weld fel y llwyddasai ei chyfrinach. Rhoes Megane iddynt y caneuon, 'Nocturne' gan César Franck, 'Mon Coeur' gan Saint-Saëns, ac i gyfeiliant Pietro Cimara wrth y piano canodd 'I know a Lovely Garden' gan Guy D'Hardelot, a 'Gwlad y Delyn' gan John Henry.

Cyflwynwyd hi i'r Tywysog ar y diwedd a gofynnodd yntau iddi sut yr oedd yn ei mwynhau ei hun yn Ffrainc, a sut yr hoffai weithio dan Jean de Reszke. Holodd hefyd o ba ran o Gymru y deuai, ac mor falch oedd hithau gael dweud wrtho bod ei chartref ym mro Lloyd George, y Prif Weinidog.

Ar ei ffordd adref i gartre'i ffrind yn hwyr y noson honno, a thrwst carnau'r ceffylau yn eco hyd heolydd llwydwyll a distaw dinas Rhufain, daeth i'w chof yn sydyn y noson fythgofiadwy honno pan oedd ei thad a hithau'n hapus deithio adref o Blas Nanhoron. Ond ar ei phen ei hun yr ydoedd y noson hon. Mor unig y teimlai! Yn sŵn y clip-i-di-clop, daeth ton o hiraeth dwys drosti.

Yn fuan ar ôl y noson hon, galwyd arni eto, gan Arglwydd Rodd y tro hwn, i ganu yn y Clwb newydd i Saeson a godasid yn y ddinas. Gwahoddwyd y Tywysog i'w agor yn swyddogol, ac i ddathlu'r achlysur trefnwyd cyngerdd. Yr oedd y lle dan ei sang, a gwaith anodd oedd ymwasgu i mewn drwy'r dyrfa. Nid oedd angen cyflwyno Megane i'r Tywysog y tro hwn. Adnabu ef hi ar unwaith, a gofyn iddi a ganai, 'Hen Wlad fy Nhadau'. "Digon teg," meddai hithau, "fe'i canaf ar y diwedd, er mai anthem genedlaethol gwlad estron iawn i'r gynulleidfa yma ydyw." Cafodd gymeradwyaeth fyddarol. Gwenodd y Tywysog yn hael arni, a gwnaeth hyn iddi hithau am un noson deimlo fel tywysoges. 'Hen Wlad fy Nhadau' yn cael ei chanu yn Rhufain!

Ar adeg ymweliad cyntaf Leila Megane â'r ddinas hanesyddol hon trigai Arglwydd Tredegar yno. Ei fwriad ar y pryd oedd ei baratoi ei hun i gymryd urddau offeiriad Pabyddol. Yr oedd hi wedi ei gyfarfod ynghynt yn un o'i chyngherddau yn Llundain, a phenderfynodd alw arno ac adnewyddu'r gyfathrach.

Hawdd deall ei fod yn ddwfn yn y pethau, ac wedi gosod allor hardd yn un o'r ystafelloedd. Soniodd hithau wrtho am y gwahoddiad a gawsai gan John de Sallis, cynrychiolydd Prydain yn y Fatican, i fynd yno a chyfarfod â'r Pab. Yr oedd ef yn falch o glywed, ac ar gefn hyn dangosodd iddi rosari ysblennydd yn ei feddiant wedi ei gwneuthur o emau amethyst, gan sôn fel y cymerodd flynyddoedd lawer iddo i gasglu'r gemau o'r lliw a'r maint arbennig. Heb sôn am ei gwerth ar y farchnad, yr oedd yn gadwyn hardd odiaeth. Cyn diogelu'r trysor cyflwynodd i Megane groes brydferth gyda'i gyfarchion a'i ddymuniadau da.

Trwy ei chyfeillgarwch â Miss Kemp cafodd Leila Megane gyfle i gymysgu â hufen cymdeithas Rhufain. Un o'r cyfryw oedd John De Sallis a'i gwahoddodd hi a chyfnither Miss Kemp, sef Mrs. Baggley, i'r Fatican. Gan mai Protestaniaid oeddynt ill dwy, ystyrient hyn yn anrhydedd fawr.

'Roedd y Pab a deyrnasai ar y pryd, Pius IX yn adnabyddus am ei hoffter o ddringo mynyddoedd. Dyna oedd ei hobi yn y blynyddoedd cyn ei ddyrchafiad i'w barchus arswydus swydd fel pen yr Eglwys Babyddol. Carai Megane, er y gwyddai nad oedd hynny yn bosibl, gael sgwrs gydag ef ar bwnc dringo, er mwyn iddi gael sôn am fynyddoedd Cymru, ac yn arbennig am Yr Wyddfa. Teimlai'n sicr y gwyddai ef am gopa uchaf ei gwlad fach hi, oherwydd ei fod yn faes ymarfer i rai o ddringwyr mwya'r byd. 'Roedd y ffaith fod y Pab yn mwynhau dringo, yr her a'r peryglon sydd ynglŷn â hynny, yn ei wneud iddi hi rywsut yn nes at y bobl, ac yn fwy dynol.

Penodwyd diwrnod, a ffwrdd â'r ddwy ohonynt am y Fatican wedi ymwisgo'n weddaidd mewn du i gyd; felly oedd yr arferiad. Yr oedd yno dyrfa luosog yn disgwyl am y Pab, o bob iaith a chenedl, o bob oed a gradd. Cyrchent ystafell yr orsedd neu'r pulpud drwy gynteddoedd ac orielau maith, a milwyr yn gwarchod bob man yng ngwychder eu lifrai lliwgar. Mawreddog ac ysblennydd pob dim o gwmpas, ac yn creu rhyw barchedig ofn yn y fynwes. Ymhobman ysblander a godidowgrwydd na allai geiriau ei ddisgrifio, ac ôl penllanw artistri'r oesoedd hyd nenfwd a phared.

Syml a diaddurn oedd ystafell yr orsedd. Safai'r pererinion yn rhesi, ac ymunodd Mrs. Baggley a Megane â hwy. Ar orchymyn y Prif Swyddog milwrol agorwyd dôr yn y pen pellaf, ac yno safai cennad Duw ei hun, gan oedi ennyd fel delw dan ei goron a'i fantell borffor yn blygion trwm amdano. Cipiwyd ei wisg seremonïol yn ebrwydd oddi arno, a chamodd i blith ei bobl unwedd â mynach cyffredin mewn dillad llwydwyn a'r capan bach ar ei gorun moel. 'Roedd yr awyrgylch yn wefreiddiol, a distawrwydd eithaf yn teyrnasu oni thorrid ef gan ambell ochenaid ddwys a chaethiwed anadl rhywun wrth agor fflodiat dagrau. Llithrai'r Pab o un i un gan fendithio'n dadol, a chyson wneud arwydd y Groes.

Daethai Megane â bathodau a thlysau o eiddo'i ffrindiau i'w bendithio ganddo ac ar ben y pentwr y groes honno a gawsai yn rhodd gan Arglwydd Tredegar. Er gwybod ei bod yn torri rheol, ni allai beidio â chodi ei phen a syllu yn wyneb y Pab pan ddaeth ei thro hi i dderbyn ei fendith. Gwenodd yntau arni gan ofyn: "Ai Saesnes ydych?" "Na," ebr hithau'n hyglyw, "Cymraes wyf fi." "O, ie siŵr, mi wn," meddai ef, "Y mae'n dda gennyf eich gweld yma." Â'i law ar ei phen, bendithiodd hi yr eildro, ac ymlaen at y nesaf.

Yr oedd yn amlwg fod yr oedfa hon wedi bod o'r cysur mwyaf i'r bobl a oedd wedi ymgynnull yno'r bore hwnnw. Pwy a wyddai yr amrywiol ofidiau a wasgai arnynt? Daliai'r ymryson gwaedlyd ar faes y gad yn ei ffyrnigrwydd, crochwaeddai'r gwerinoedd a gwegiai teyrnasoedd, ac amheuai rhai o'r pererinion mai pypedau oeddynt ar chwaraefwrdd y duwiau, ond ni chymylai hynny yr hedd na ŵyr y byd amdano a dderbyniasent dan gyffyrddiad llaw y Pab. Anodd esbonio dwyster yr awr. I Megane aeth crefydd yn fwy o ddryswch nag erioed. Ond yn nyfnder ei chalon teimlai mai crefydd hen werin y graith, crefydd syml llan a chapel Cymru, oedd y grefydd iddi hi.

PENNOD 9

Yr Eidal a Battistini

Mae enwau dinasoedd Naples, Pompeii a Fflorens yn
llawn hud a rhamant a barddoniaeth. Dyma'r enwau sy'n rhoi
urddas a mawredd i'r Eidal. Yma mae dyn wyneb yn wyneb â
chelf a chrefft fawr yr oesau. Mynnodd Miss Kemp garedig ei
chalon dywys Leila Megane i'r holl leoedd hyn, ac yr oedd
hithau wrth ei bodd er mor brysur ydoedd yn astudio. Gwelodd
Naples o'r môr, ac wrth wledda ar yr olygfa, syniodd mor wir y
geiriau cyfarwydd, 'See Naples and die'. Yr oedd yr awyr a'r
môr am y glasaf, a'r haul fel petai'n ymhyfrydu wrth chwarae
ei hudlath ar fil o ffenestri'r dre'. Anfarwol!

Gwyddai am dristwch y ddinas a gladdwyd dan lifeiriant y
lludw folcanig o losgfynydd Vesuvius ymhell bell yn ôl,—
Pompeii. Arweiniwyd hwy i weld y rhannau tyngedfennol a
gloddiwyd i'r golwg, yn strydoedd a thai, rhy fregus i'w
cyffwrdd, ac ambell ystafell a'r dodrefn a'r priddlestri yn
union fel yr oeddynt ar awr yr alanastr. Mewn ambell gyntedd
gwelid lliwiau gwreiddiol y waliau, gyda darluniau wedi eu
peintio arnynt yn ôl arfer yr oes honno. Ni chlywai Megane lais
eu tywysydd yn egluro'r peth hwn a'r peth arall, canys 'roedd
ei phen yn llawn llefau'r plant a'r mamau a gaethiwyd am byth
ym meddau'r byw, hyd oni throes y lle yn arswyd iddi, yr oedd
yn ddiolchgar am gael gweld Pompeii, a chael y profiad o
gerdded yn ôl traed y trueiniaid hynny gynt, a gweld eu cartrefi
chwâl. Chwythai awelon glyn marwolaeth dros bobman yno.

Sirioled oedd Fflorens, yn diogi'n braf ynghanol ei
thrysorau, pan ymwelodd hi â'r lle. 'Roedd arlunwyr,
cerflunwyr neu fyfyrwyr celf yn dew hyd y strydoedd, ac ambell
fohemiad yn symud fel breuddwyd yn eu mysg. Carasai
Megane dreulio amser hir yn y ddinas hon, lle'r oedd cymaint
o bethau yn tystio i ddawn greadigol dyn. Apeliai hyn yn gryf
at y gynneddf artistig ynddi, ond nid oedd amser yn caniatáu
ymloetran yma.

Cryn troi yn eu hôl am Rufain, 'roedd Miss Kemp yn daer am ymweld ag Abaty San Miniato, a safai uwchlaw'r Piazzalle Michelangelo. Deuai i'w cyfarfod lu o ymwelwyr yn dod oddi yno, a mawr oedd siom y ddwy o ddeall eu bod yn rhy hwyr, canys 'roedd un o'r mynachod yn cau'r dorau am y dydd. Ond nid oedd Miss Kemp yn mynd i ddigalonni am hyn. Yr oedd yn benderfynol i Megane weld yr eglwys hynafol hon, ac ymbiliodd ar y Brodyr, gan egluro mai un o ddisgyblion de Reszke oedd ei ffrind, wedi teithio cannoedd o filltiroedd i weld eu cysegr sanctaidd. O glywed yr enw de Reszke newidiodd y sefyllfa ar amrantiad. Agorwyd drws bach yn ystlys yr hen adeilad, ac wedi tramwy hyd fynedfa gul a thywyll, fe'u cawsant eu hunain yng nghorff yr eglwys. Syllodd Megane yn yr hanner gwyll ar geinder henffasiwn y lle. Harddwch cwbl wahanol i bopeth a welsai ynghynt.

Bwriad pennaf ei chyfeilles oedd iddi gael canu yn yr amgylchedd arbennig hwn gyda'i gefndir hanesyddol a hen, a chydsyniodd y Brodyr yn eiddgar. Awgrymwyd iddi gymryd ei safiad wrth yr allor, ac o un i un defosiynol cerddodd y gweddill o'r Brodyr i mewn, a sŵn eu sandalau'n taro'r lloriau fel ysgafn guro tabyrddau pell. Dewisodd Megane ganu 'Agnus Dei' o waith Bizet,—'Wele Oen Duw sy'n tynnu ymaith bechod y byd'. Canu heb gyfeiliant, ond pa waeth; canodd gan fwrw ei holl enaid a'i dysg uwchraddol i bob gair a nodyn. Cwafriai'r seiniau cyfoethog fel organ reiol gan eco rhwng yr hen golofnau, a gwelwyd aml lawes casog yn slei sychu'r dagrau oddi ar ruddiau memrwn.

Bu'n wledd fythgofiadwy i'r Brodyr hyn yn eu byd ar wahân weld y ferch olygus hon, a chlywed ei llais melodaidd pur yn tonni drwy'r cysegr. Tawodd y nodyn olaf, a thorrwyd ar ennyd feichiog y distawrwydd gan sain gorfoledd a churo dwylo. Ar gais yr Abad canodd Megane ymhellach, 'Bugail Israel', yn dyner a dwys. Ni ddeallai yr un o'r gwrandawyr y geiriau, ond gwyddent eu neges a'u cysur. Anwybyddir ffiniau iaith ddieithr gan gerddoriaeth wir, ac ni lesteirir ei solas i galon gan acen estron.

Arhosodd yr achlysur hwn yn hir ym meddwl Megane. Yr oedd yn werth troi i'r Eidal yn unig er mwyn y profiad hwn.

Y noson honno yn ei llofft, rhithiai darluniau'r dydd fel
ffilm drwy ei chof, strydoedd hapus Fflorens a'i champ a'i
chelfyddyd, ac fel cyfeiliant i'r cwbl clywai pit-a-pat, pit-a-pat
sandalau mynachod San Miniato.

*   *   *   *

Eidalwr oedd Mattia Battistini, a bas-bariton enwog. Bob
tro y cofiai Megane amdano gwelai bâr o fenyg lledr myn-gafr
melyn ar len ei meddwl. Arferai ef eu gwisgo yn ddieithriad
wrth ymddangos ar lwyfan.

Gofynnwyd i Leila Megane ganu gydag ef mewn cyngerdd a
gynhelid er budd y tlodion yn Theatr y Brenin Edward VII ym
Mharis. Yr oedd hi wedi ei gyfarfod droeon yn salon de
Reszke. Bu'n ddisgybl iddo, a daliai i fynd ato yn achlysurol i
gael sglein ychwanegol ar ei ganu. Deallai'r ddau ei gilydd i'r
dim. Fe'u gwelodd yn ymarfer, pob un ohonynt wedi ymgolli'n
llwyr yn hualau'r gelf. Rhaid oedd i Battistini gael pob
anadliad, gair a nodyn yn gywir gant y cant cyn mentro o flaen
y cyhoedd. Cyfrifai Megane hi'n fraint i ymddangos ar yr un
llwyfan â gŵr a oedd wedi argraffu ei enw'n uchel fel canwr
proffesiynol o'r radd flaenaf. Gwyddai carwyr cerdd drwy'r
byd amdano'n dda, a disgwylient wledd fras a blasus ganddo.

Ar noson y cyngerdd gwelodd Megane mor ofidus ac
anesmwyth oedd y datgeiniad gwych yma y tu ôl i'r llenni.
Synnodd yn fawr. Ni fedrai aros yn llonydd am eiliad. Cerddai
yn ôl ac ymlaen, ymlaen ac yn ôl, a'i esgidiau'n gwichian, nes
mynd ar ei nerfau. Yr oedd mor aflonydd ac mor ddiflas ei
olwg â cheffyl mewn gwayw, ac ofer oedd ceisio tynnu
ymddiddan ag ef yn y fath gyflwr. Atebai'n gwta, a dal i
droedio'n ddi-baid. Gresyn ei weld fel hyn yn aberth llwyr i'w
feddwl terfysglyd. Gofynnodd hi iddo mewn Eidaleg, "Ydych
chi ddim yn blino cerdded fel hyn?" "Y mae'n rhaid imi,"
meddai, "Meddyliaf mor anodd fydd canu ar y llwyfan yna, a
dim ond y piano yn chwarae'r cyfeiliant. Mewn opera mae'n
wahanol: y mae llawer ohonoch i ddal sylw'r gynulleidfa,
ynghyd â cherddorfa lawn." Gwelodd hi ei bwynt ar unwaith,
er na feddyliodd am y sefyllfa yn y goleuni yma o'r blaen.

Ond y fath gyfnewid! Unwaith yr oedd Battistini wyneb yn wyneb â'i gynulleidfa, ac yn barod i ganu, edrychai'n hamddenol ac yn llawn hunanymddiriedaeth. Perffeithydd pur ydoedd. Dyna oedd ei faen tramgwydd. Ofnai yr âi'r rhywbeth lleiaf o le. Safai'n ddiysgog ar y llwyfan, ei ddwylo yn y menyg melynlliw yng nghlwm o'i flaen, a'r llais treiddgar a pheraidd yn dylifo allan.

Swynwyd y gynulleidfa gan ganu Megane. Teimlai hi'n ddedwydd iawn am hyn, canys 'roedd yn amlwg y gosodid hi ar yr un lefel â Battistini, ac yr oedd hynny'n golygu llawer iddi hi. Cafodd yntau syndod pan glybu aeddfedrwydd ei llais a phurdeb ei dehongliad. Wrth ei llongyfarch a dymuno'n dda iddi, dywedodd wrthi ei bod yn glod i'w hathro.

Cyflwynwyd cofleidiau o flodau iddi, rhosynnau gwridog a phersawrus. Rhannodd hwy'n hael i'w ffrindiau yn nhŷ'r Oliveriaid, ac aeth â'r gweddill i addurno'i hystafell ei hun. "'Rwyf fel Brenhines Flodau," meddai yn hapus luddedig.

Cysgodd yn drwm yn eu sawyr hyfryd. Ond fe'i cafwyd yn rhy wael i godi o'i gwely fore trannoeth. "Gwenwyn!" meddai'r meddyg yn ddifrifol, "Mae arogl yr holl rosynnau yma yn ddrwg iddi. Brysiwch â hwy allan o'r ystafell, ac fe dry ar wella ar fyrder." Derbyniodd lythyrau fel arfer i'w llongyfarch. Gwenodd wrthi ei hun wrth ddarllen un ohonynt. Llythyr ydoedd oddi wrth un o'i chydnabod, merch o America a welsai droeon yn y Llysgenhadaeth:

"Annwyl Megane,
A gaf fi ddweud wrthych beth a ddigwyddodd imi ddoe. Euthum i gyngerdd a gynhelid yn Theatr Edward VII, ac ar y posteri tybiais weld ynghyd ag enw Battistini, enw Mlle Leila Megane o Theatr Opéra Comique a Monte Carlo, na chyfleai ddim i mi. Eisteddwn ymhell yn ôl, fel na welwn y llwyfan yn dda iawn, felly pan ymddangosodd y person yma, ni thrafferthais edrych hyd yn oed. Ond ar ôl brawddeg neu ddwy daeth y teimlad mwyaf hapus a thyner drosof, daeth dagrau i'm llygaid, a gwyddwn mai dim ond eich llais chwi a fedrai roddi i mi deimlad o'r fath. Gofynnais i'r un a eisteddai yn y

sedd nesaf am gael benthyg ei wydrau opera, a gweld mai chwychwi oedd yno. O Megane, yr ydych yn fendigedig!

Yn serchog,
Martha Hyde.''

PENNOD 10

Canu i'r Lluoedd Arfog

Ynghanol ei phrysurdeb a'i ddiddordebau amrywiol, poenai Megane lawer iawn am y brwydro ynfyd ac ofnadwy a oedd yn parhau yn ffosydd Ffrainc ym 1916. Taenai ei gysgod du dros bobman. Nid oedd modd dianc rhagddo. Ysgrifennai ei chwiorydd yn gyson ati a chlywai ganddynt am fechgyn o'r henfro wedi ymuno â'r fyddin. Adwaenai'r rhan fwyaf ohonynt, llawer yn hogiau wedi bod yn gyfoes â hi yn yr ysgol. Ac yr oedd ei brodyr yng nghanol peryglon bob munud o'r dydd a'r nos ar y môr. Craffai beunydd ar y newyddion yn y papurau dyddiol.

Fe'i brawychwyd un bore pan ddarllenodd fod llong ei brawd, Tom, wedi ei suddo gan dorpedo'r gelyn, ond bod y criw yn ddiogel. Gwnaeth ymholiadau ar unwaith yn y pencadlys militaraidd, lle'r adwaenid hi gan rai o'r prif awdurdodau, a deallodd fod y morwyr ym Mharis! Teithient hwy mewn bws ar gyrrau'r ddinas ar un o'r diwrnodau hynny, a syfrdanwyd Tom ei brawd pan ganfu ef a'i bartneriaid swyddog milwrol yn eu goddiweddyd yn chwyrn ar ei feic ac yn gorchymyn gyrrwr y bws i aros, gan ofyn a oedd un ohonynt yn dwyn yr enw Jones. 'Roedd ganddo awdurdod i'w ddwyn at ei chwaer, y *'prima donna'* Leila Megane! Bu'r aduniad yn un hapus iawn rhwng y ddau, canys ni welsent ei gilydd ers rhai blynyddoedd. Digwyddasai llu o bethau yn y cyfamser, yn felys a chwerw. Tybed ai hwy oedd y plant bach direidus hynny yn Nhŷ'r Polîs, Pwllheli, ers talwm!

Bu Megane yn cynnal cyngherddau droeon i'r milwyr yn Ffrainc, a chafodd brofiadau diangof. Ymwelodd â Versailles lle 'roedd pabell enfawr yn llawn o'r clwyfedigion, ac un o olygfeydd tristaf ei bywyd oedd gweld bechgyn ieuainc a dynion dewr a chydnerth yn sypynnau truenusaf ar eu gwelyau dioddefus. Yr oedd lwmp yn ei gwddf a dagrau llosg y tu ôl i'w llygaid yn ymladd am ryddhad. Ond dysgasai yn ysgol galed Jean de Reszke sut i drechu'r teimladau.

Canodd iddynt alawon y gwledydd gwahanol yn eu hiaith wreiddiol. Ac nid anghofiodd y Gymraeg. Mentrodd ganu 'Y Bwthyn Bach To Gwellt', a deallodd ar unwaith fod yno Gymry ymhlith yr anffodusion. 'Roeddynt yn crïo fel plant, ac ofnodd hithau fod yr hen gân werinol hon wedi chwarae'n ormodol ar dannau hiraeth a theimlad ei chydwladwyr. Ond gwaeddent bron mewn gorffwylledd am iddi ganu ymlaen ac ymlaen.

Aeth gyda'i ffrindiau i'r ganolfan lle trinid milwyr a swyddogion o fyddinoedd Ffrainc a'r Eidal a ddallwyd yn y brwydro. Eisteddent yn rhesi lliwgar yn eu lifrai addurnedig, fel cynifer o ffigurau tsïeni ar silffoedd siop. Estynnodd hithau gysur iddynt ar lwybrau'r gân, a chyffyrddai eu gwerthfawrogiad â llinynnau ei chalon hithau.

Galwyd arni i ganu i'r milwyr ym maes y gad, yn agos iawn i'r lein flaen. Profiad oerllyd ac annymunol oedd teithio yn y cerbyd tywyll, a'r wlad o gwmpas fel mewn dillad galar. Cofiodd am y cannoedd clwyfedig a welsai eisoes ac am y dewrion dall. Ba wedd nad oedd ei mynwes yn drwm ac yn llawn tristwch? Fe'i holai ei hun, "Paham raid i'r erchylltra hwn fod? Paham mae dyn mor greulon?" Synfyfyriai. Anfarwolodd Hedd Wyn ei meddyliau:

> Pan wybu fyned ymaith Dduw
> Cyfododd gledd i ladd ei frawd;
> Mae sŵn yr ymladd yn ein clyw
> A'i gysgod ar fythynnod tlawd.

Er na wyddai'r milwyr eu tynged o'r naill ddiwrnod i'r llall, yr oedd awyrgylch y gwersyll yn ysgafn a hwythau yn llawen ac yn llawn hiwmor iachus. Dynion cedyrn oeddynt yn eu hamser gorau, eu hyder yn gryf, a'u hysbryd yn uchel. Rhyfeddai Megane at hyn. Eithr daliai i ymrithio o flaen ei llygaid y darnau o ddynoliaeth a welsai ynghynt.

Wedi canu aml gân boblogaidd, a'r milwyr newynog yn chwil dan ei swyn, gofynnodd mewn Cymraeg croyw, "A oes yma Gymry yn eich mysg?" 'Roedd y bloeddiadau o "Oes! Oes!" yma a thraw yn tystio i'r nifer lluosog oedd yno. Canodd yr hen ffefrynnau iddynt, ac ar awgrym un o'r cyfeillion a'i

77

hebryngodd hi yno, yr emyn 'Bugail Israel'. Pylwyd y golau, ac yno ar drothwy Tir Neb, distyllodd Megane wlith y nefoedd yn y melodi mwyneiddiaf a glywsid erioed. Syrthiodd distawrwydd trydanol dros y minteioedd llwydion. Yna torrodd allan raeadr o weiddi, "Cymru am byth!" ac "Encôr! Encôr!"

Bu'n noson fawr i'r fataliwn, ac ysywaeth y noson olaf i lawer iawn o'r milwyr. Sibrydasai un o'r cadfridogion wrth Megane fod yna frwydr greulon yn eu hwynebu'n fuan. Teimlodd hithau y noson honno ei bod yn cael cip o'r newydd ar hunanaberth.

Yn y cyflwr meddwl hwn, ailadroddodd yn fuan wedyn hanes bywyd Florence Nightingale, a medrodd dreiddio i'w meddwl a deall yn well ei phenderfyniad a'i sêl yn mentro'i bywyd i gysuro a helpu'r milwyr. Tybed a gyneuodd ei llusern fechan hi rywfaint o ddiddanwch yn eu bywydau?

Flynyddoedd ar ôl hyn ar y stryd yn un o drefydd De Cymru, daeth ymlaen ati fam hiraethus yn sôn iddi golli ei hunig fab yn Ffrainc adeg y Rhyfel Mawr. Yn ei lythyr olaf yr oedd yn dweud iddo weld Leila Megane, ac iddi ganu i'w gatrawd. Amgaeodd hefyd lun ohoni a welsai yn un o'r papurau newydd ar faes y gad.

> Ni ddaw gyda'r hafau melynion
> Fyth mwy i'w ardal am dro,
> Cans mynwent sy'n naear yr estron
> Ag yntau yng nghwsg yn ei gro.

PENNOD 11

Teg Edrych tuag Adref

Aeth pedair blynedd a hanner heibio er pan fuasai Leila Megane gartref ym Mhwllheli. Yn y cyfnod yma llifodd llynnoedd o ddŵr afon Talcymerau tua Bae Aberteifi dan Bont Solomon gerllaw ei chartref. Bu galanas y Rhyfel Mawr yn creithio ac yn chwynnu poblogaeth ieuanc Pen Llŷn fel ymhobman arall drwy'r wlad, tyfodd plant yn feibion ac yn ferched arddegol, aeth y canol oed yn hŷn, a llithrodd lliaws o'r hen bobl dros y ffin ddiwethaf. Do, bu llawer tro ar fyd. Y ferch ifanc a gefnodd â'r dref yn llawn hyder a ffydd ym mherson Maggie Jones, Tŷ'r Polîs, yn dod adref fel Leila Megane, Paris a Llundain, cantores broffesiynol o fri, ac ôl graen a disgyblaeth o'r radd orau arni. 'Roedd wedi datblygu hefyd yn foneddiges dra golygus, gyda thro a threm ei hwyneb fel un o dduwiesau Groeg, a'i gwallt gwinau llathr a thrwchus yn goron ar ei phen. Arhosai yng nghartref y teulu, yn Astoria, Ffordd Caerdydd, gyda'i chwaer Polly. 'Roedd ei thri brawd ar y môr, a gofid i'w chalon oedd methu eu gweld.

Lledodd y sôn ei bod wedi dod adref drwy'r lle fel tân gwyllt, ac ni bu ball ar yr ymwelwyr a ddeuai i'w gweld ac i gyfarch gwell iddi. O un i un deuai ei ffrindiau, a hen ffrindiau i'w thad. Gwelent gyfnewid mawr ynddi. Yr oedd fel pe buasai wedi ymadael â'u byd bach a chyfyng hwy, ac yn byw mewn byd ar wahân. Yr oedd y cylchdroi cyson ymhlith goreugwyr cymdeithas aruchel prif ddinasoedd Lloegr a Ffrainc wedi gadael ei farc arni.

Trefnwyd cyngerdd mawreddog gan Gyngor y Dref i'w chroesawu. Bu'r Cyrnol Alan a Mrs. Gough, Plas Gelli-wig, yn lledaenu ei chlod ar hyd ac ar draws y dref a'r ardal, a sut y llwyddodd i roi enw Pwllheli a Chymru yn llachar ar fap y byd. Fe wyddent hwy sut adwaith oedd i'w chanu yn y neuaddau mwyaf, lle'r ymgasglai deallusion dysg a chân. Gair yma ac

79

acw felly, ac fe ddaliodd yr hen fwrdeistref ar y cyfle i'w chydnabod yn anrhydeddus.

Bu'r trigolion yn paratoi'n ddygn ar gyfer y deyrnged. Cafwyd Prif Gwnstabl y Sir i lawr o Gaernarfon i'w chyflwyno, ac yr oedd Côr y Dref dan law ei arweinydd, Mr. R. O. Jones, yno'n selog mewn nerth a gogoniant.

Gwisgodd Megane y ffrog ysblennydd honno o sidan llathrwyn a wnaed yn arbennig iddi yn Rhufain ar gyfer cyngerdd croesawu Tywysog Cymru. Edrychai mor urddasol â'r un dywysoges ar y llwyfan, a rhoes y dyrfa groeso byddarol iddi. Ar y rhaglen swyddogol trefnwyd iddi ganu darn allan o 'Samson and Delilah' i gychwyn, ond yr oedd hi wedi rhagdrefnu gyda'r cyfeilydd i ganu 'Cartref'. Tarawyd y cordiau cyntaf a dechreuodd ganu ond boddwyd ei llais gan frwdfrydedd gwallgo'r gynulleidfa. Yr oeddynt wedi gwirioni oherwydd iddi ddewis yr hen alaw syml ac annwyl yma, ac mor addas i'r achlysur, fel ei chân agoriadol. Bu'n noson gofiadwy. Yr oedd y llongyfarchiadau mor aml ac mor ddisglair â gwlith y bore, a'r dref ei hun yn difrif feddwl bellach fod iddi hithau ran yng ngogoniant y ferch ddawnus hon. Er iddi ganu ar lwyfannau mwy llachar, ni fu un noson hapusach i Leila Megane na'r cyngerdd croeso hwn yn nhref ei magwraeth ymhlith ceraint a chydnabod.

Yn dilyn y noson derbyniodd nifer helaeth o lythyron twymgalon, a llu o roddion, rhai oddi wrth werinwyr cyffredin a fynnai rannu o'u trysorau â hi. Cyffyrddwyd yn dyner iawn â'i chalon gan anrheg a anfonwyd gan weddw un o hen bysgotwyr glan y môr. Beth ydoedd? Dwy hances boced o waith llaw cywrain a hardd, gyda'r nodyn, "Gwn mor falch fuasai fy mhriod druan, a buasai ef yn dymuno imi anfon gwerthfawrogiad oddi wrthym ein dau." I feddwl cyfriniol fel Megane, 'roedd hyn yn werth y byd. Ac yr oedd wrth ei bodd fod ei chanu yn cyffwrdd â chalon y werin bobl. Y gamp fawr oedd cyfathrebu â'r miloedd cyffredin mud. Ni fethodd Leila Megane yn hyn erioed. Dyma oedd cyfrinach ei nerth.

Derbyniwyd arian yn drwm wrth y dollfa'r noson honno, a chyflwynwyd swm dda i Megane am ei chanu uwchraddol. Rhoddodd hithau'r arian yn wirfoddol i'r ysbyty lleol, er y gallasai yn hawdd wneud defnydd â hwy ei hun, oblegid yr oedd ei chostau yn uchel ac yn pwyso'n drwm arni i gwrdd â phris ei haddysg a'i threuliau byw, ac at hynny gadw statws yn y cylchoedd y cerddai ynddynt. Mor wahanol oedd hanes Nellie Melba. Pan aeth hi adref i Awstralia ar derfyn cylchdaith yn Ewrop, enillodd ddwy fil ar hugain o bunnoedd wrth ganu mewn cyngherddau o groeso iddi ym Melbourne a Sidney. Ond ysywaeth nid Awstralia yw Cymru fach, ac nid Melbourne na Sidney yw Pwllheli.

Er mai byr oedd ei harhosiad gartref, bu'n prysur ymweld â phobman drwy'r lle. Yn sefyll allan yr oedd ei hymweliad â'i hen ysgol. Megis doe yr oedd hithau yno, mor nwyfus a direidus â'r un o'r disgyblion. Llifai llu o atgofion, difyr ac annifyr, i'w meddwl. Pe medrai'r muriau lefaru a phe dodasid tafodau i'r desgiau! Edrychai'r plant yn syn wrth glustfeinio arni yn rhamantu dipyn o'i hanes wrthynt. Yr oedd ganddi ffordd o siarad yn ddiddorol ac o gyflwyno'i neges yn ddeniadol. Trysorodd amryw o lythyron a dderbyniodd oddi wrth y plant ar ôl hyn, ac nid oes gyffelyb i blant am arwraddoliaeth. Aeth pob un arall i'r gwellt am gyfnod,—nid oedd neb fel Leila Megane! 'Roedd hi wedi bod yn byw ym Mharis, yn medru siarad Ffrangeg; wedi bod yn Rhufain ac wedi gweld y Pab; ac yn fwy na dim yr oedd wedi gweld Tywysog Cymru droeon, ac wedi sgwrsio ag ef. Cofiwn fod y byd yr adeg yma, dros hanner can mlynedd yn ôl, yn wahanol iawn i'r hyn ydyw heddiw. Yr oedd Ffrainc ymhell dros y môr, a Rhufain ym mhen draw'r byd. Nid oedd awyrennau yn gyfleus eto i gludo dyn dros gyfandiroedd mewn ychydig oriau.

Hyfryd iawn oedd adnewyddu'r gyfathrach â'r hen dref annwyl. Ond nid oedd oedi yn hir yma yn bosibl. Yr oedd ei gwaith yn galw. Daeth yr amser iddi fynd i Baris, i gyflawni ei chytundeb gyda'r 'Opéra Comique' yno. Golygai hyn lawer iddi yn ei thwf a'i datblygiad fel artist broffesiynol, ac ni fedrai hepian, er mor braf oedd troi ym Mhwllheli. Bu'r ymweliad yn faeth ac yn ffisig i'w hysbryd.

PENNOD 12

Cytundeb â Covent Garden

Cofiwn i Leila Megane ganu i Mr. Higgins, Cyfarwyddwr yr
Opera yn Covent Garden, cyn iddi, ar ei awgrym a'i gyngor ef
ddechrau ar ei hefrydiau cerddorol ym Mharis. Ar ôl i Ryfel
Mawr 1914-18 dynnu i'w derfyn daeth ef drosodd ati i Baris i
ofyn iddi'n bersonol ac yn swyddogol ymddangos yn
broffesiynol yn Covent Garden. Ymgynghorwyd â Jean de
Reszke, a chytunwyd iddi berfformio ar ddechrau'r tymor
newydd dilynol, sef Haf 1919. Arwyddodd gytundeb o bum
mlynedd, a chytundeb cyffelyb gyda'r 'Opéra Comique' yr un
wythnos am ddwy flynedd. Cyd-ddigwyddiad!

Bu trafod a dadlau hir rhwng de Reszke a Mr. Higgins ar ba
opera i'w hactio yn Llundain. Ystyriwyd llu o bosibiliadau cyn
dod at y dewis terfynol, a'r dewis hwnnw oedd 'Thérèse', gan
Massenet, na chawsai ei pherfformio erioed o'r blaen yn
Llundain nac o ran hynny ym Mhrydain. Tybid y byddai torri
tir newydd fel hyn yn foddhaol iawn ar ddechrau'r tymor, ac ar
ôl helynt a dinistr a thorcalon y Rhyfel.

Agorwyd ar nos Lun, Mehefin 2il. 'Roedd y Tŷ Opera yn
llawn, y gobeithion yn uchel, a chyffro ac awyrgylch 'noson
gyntaf' yn amlwg iawn yno. Castiwyd Leila Megane i gymryd y
prif ran yn yr opera ddieithr hon, rhan Thérèse. Arweiniwyd
gan Percy Pitt. Yr oedd y cwbl ar flaen ei fysedd, a llwyddodd i
fodloni'r gynulleidfa yn llwyr.

Er nad oedd yr opera fel y cyfryw yn or-lwyddiannus, bu'n
fantais o'r mwyaf i ennill clod uchel i Leila Megane yn
bersonol. Yr opera yma yn anad dim a ddaeth â'i henw i fri ac
enwogrwydd yn y Brifddinas. Newyddian hollol ydoedd i'r
mwyafrif o'r gwrandawyr, a thipyn o flas Ffrengig ar ei
harddull a'i chyflead o'r cymeriad Thérèse.

Ar derfyn y perfformiad cafodd hi ei hun gymeradwyaeth
ysgubol, a bu rhaid codi'r llenni droeon. Cyflwynwyd y blodau
arferol iddi—ysgubellau heirdd—gan bedair geneth wedi eu

gwisgo fel macwyaid mewn felfed lliwus. Cariwyd hanner cant o bwysïau mwy iddi gan wasanaethwyr y llwyfan, yn rhoddedig gan enwau disgleiriaf cymdeithas uchel-ael Llundain. Yr oedd y cerbyd a'i dygai i'w lety, dan ofal caredig y Cyrnol Gough, fel gardd eang. Ac nid digon hyn i gyd. Canfu, wedi troi i'w hystafell wisgo, wyntyll hardd ar y bwrdd yno, yn cynnwys tair pluen Tywysog Cymru,—plu wystrys gyda choes hir o gragen crwban!

O'r holl firi a'r gorfoledd, cipiwyd hi megis ar wib i gartref Mr. a Mrs. Philip Foster yn Berkeley Square. Yr oedd y ddeuddyn hyn wedi mynnu paratoi cinio dathlu ei hymddangosiad cyntaf yn Covent Garden. Trefnwyd popeth megis pe baent yn derbyn brenhines ac edrychai'r carped coch a arweiniai o'r palmant i ddrws y tŷ yn groesawus iawn yng ngolau lampau'r stryd. Gwahoddwyd yno ffrindiau lawer, y rhan fwyaf ohonynt yn gyfeillion wedi cefnogi Megane oddi ar ei dyddiau cynnar gyda Syr George Power. Yr oedd pawb mor ddedwydd, a llifai'r siampên mor rhydd â dŵr wrth yfed i'w llwyddiant ac i'w dyfodol.

Daeth awr gwasgaru o'r diwedd. Yr oedd hi, y llwncdestun, wedi ymlâdd. Bu'n noson drom iddi a rhyddhad oedd gweld y cwmni yn ymwahanu. Aeth hithau i'w lety. Yr oedd y blodau ymhobman yn dew, o'r drws i'r cyntedd, i fyny'r grisiau hyd at ddrws ei hystafell wely.

Caeodd y ddôr. Yr oedd yn hanner awr wedi tri o'r gloch, a'r wawr yn dechrau torri. Teyrnasai distawrwydd, ar wahân i ambell drol ffrwythau yn rhoncian ei ffordd i farchnad Covent Garden. Nid oedd neb yno i siarad â hi, dim un cyffyrddiad cartrefol, neb i'w hanwylo. Fel y carai rannu'r llwyddiant a'r gogoniant gyda'i thad a'i mam a'r teulu! Teimlai hiraeth mawr a thristwch yn nyfnder ei bodolaeth. Cysgodd a'r llinellau syml yn rhedeg drwy ei meddwl—

> Mae'r lôn yn un arw, mae'r lôn yn un faith,
> Yn llawn temtasiynau, ac amal i graith;
> Mae'r cerrig yn finiog a'r noson yn ddu,
> Heb lusern i daflu ei phelydr cu;
> Fe'i cerddaf er hynny'n ddi-gŵyn a di-sôn
> At Rywun sy'n trigo ym mhen pella'r lôn.

Mae'n arwain i'r mynydd a'r dringo sy'n flin,
Dros afon a cheunant a'r niwl dros y ffin,
Heb wybod lle rhoddwyf fy nhroed lawer tro
Gan amled yw tyllau peryglus y fro;
Yn llawen hyderus fe'i cerddaf er hyn
At Rywun sy'n trigo ar gopa y bryn.

Nid hoff gennyf droi tua'r erwin daith
Dros glogwyn a dibyn a ffriddoedd llaith,
Ond lawr tua'r dyffryn ymhell, bell ymla'n
'Rwy'n teithio'n ddiysgog a'm calon ar dân;
O filltir i filltir yn isel fy nhôn
I'r croeso gan Rywun ym mhen pella'r lôn.
        (Rhydd-gyfieithiad o *'The Long Lane'* gan Theta).

Yr oedd papurau'r ddinas yn llawn o hanes noson gynta'r opera drannoeth. Darllenodd Megane hwy bob yn ail ag agor telegram ar ôl telegram—yn eu plith:

"Clywais gyda llawenydd mawr am eich llwyddiant yn Covent Garden. Derbyniwch fy llongyfarchiadau diffuant, gyda fy nymuniadau da i'r dyfodol." Lloyd George.

"'Rwy'n falch o'ch buddugoliaeth. Derbyniaf gannoedd o lythyron a thelegramau i'm cadarnhau o hyn. Fe'ch cofleidiwn!" J. de. Reszke.

"Pob llwyddiant!" Adelina Patti-Cedeström.

A dyma grynodeb byr o'r papurau:

"Gwerthwyd pob tocyn allan yn llwyr. Ymhlith y gynulleidfa 'roedd y Dywysoges Mary." *PAAS Evening Standard.*

"Mae Miss Megane yn meddu ar lais contralto cyfoethog ac ystwyth, ac o gyraeddiadau anghyffredin . . . Hi a gafodd y llwyddiant mwyaf . . . Safai ei hactio allan . . ." *Daily Graphic.*

"Mi fydd yn artist mawr . . ."

"Canodd gyda theimlad dwys, nes cyfareddu'r Tŷ . . ."

"Hawdd proffwydo dyfodol disglair i Miss Megane . . ."

"Sgoriodd Megane lwyddiant amlwg . . ." *Daily Express*

"Gwnaeth Leila Megane, er yn newydd yn Llundain,

lwyddiant mewn amrantiad ar ei dehongliad o Thérèse . . ."
Morning Post.

"Dyma mezzo-soprano gyda llais nodedig o gyfoethog, ac enillodd ei datganiad o'r rhan anodd a gafodd, frwdfrydedd a chymeradwyaeth wresog y dyrfa fawr. 'Roedd yr olygfa ar y diwedd yn deyrnged danbaid i Miss Megane . . ." *Western Morning News.*

Teimlai Megane yn ostyngedig iawn ynghanol yr holl ganmoliaeth, ond mor ddedwydd ydoedd fod y noson gyntaf wedi troi allan yn llwyddiant mawr. Sylweddolodd drymed ei chyfrifoldeb i'r cyhoedd ac ni fynnai eu siomi.

PENNOD 13

Canu i Syr Henry Jones

Daeth Leila Megane i gyffyrddiad rhyfedd ac annisgwyl â'r ysgolhaig a'r athronydd disglair, Syr Henry Jones. Yn ystod cyfnod o seibiant ym Mhwllheli gofynnwyd iddi gan rai o'r pentrefwyr i ganu yn Aber-soch oherwydd eu bod yn awyddus i ddangos i'r llu ymwelwyr Saesneg yno ar y pryd beth y gallai geneth Gymraeg o'r fro ei wneud ond cael y cyfle. Ymchwyddent o feddwl bod ganddynt hwythau rywbeth o wir nerth i dynnu dŵr o ddannedd y Saeson. Trefnwyd cyngerdd go iawn yn un o'r capeli, a rhoes Megane o geinion y gân nes cyfareddu pawb. Gwyddai ambell un o'r ymwelwyr amdani eisoes, ond heb gael y fraint o'i gweld a chlywed ei llais cyfoethog.

Sibrydwyd wrth Megane fod Syr Henry Jones yn aros yn y cyffiniau, ac yn teimlo'n siomedig iawn na fedrai fod yn bresennol yn y cyngerdd. Nid oedd yn hanner da, ac oherwydd ei afiechyd ni allai fentro allan gyda'r hwyrnos ac i blith tyrfa o bobl. Daethai i fwrw cyfnod yma i geisio atgyfnerthu, ac i geisio llonyddwch meddwl i orffen a chaboli darlith bwysig iawn a oedd ganddo ar y gweill.

Poenai Megane yn fawr am iddo fethu dod i'w chlywed, canys teimlai y buasai yn well ganddi ganu iddo ef nag i fil o Saeson penysgafn. Ond yr oedd ei hamser hithau yn brin, ac eto yr oedd rhyw lef ddistaw fain yn ei chalon yn gorchymyn iddi ganu i Syr Henry Jones. "Doed a ddelo, mi a roddaf gyngerdd arbennig iddo," meddai wrthi ei hun.

Yn y capel lle cynhaliwyd y cyngerdd cyhoeddus, gadawyd y piano yn yr unfan, a'r llwyfan fel yr oedd. Ar y prynhawn dilynol daeth Megane yn ôl i gael Syr Henry yn ei disgwyl yno. Edrychai yn fusgrell iawn, gyda'i lygaid yn llawn tristwch a dioddefaint. Gydag ef yr oedd ei nith a ofalai amdano, a chyfaill iddo. Daeth rhai o'r pentrefwyr i mewn hefyd, ac eisteddai dyrnaid o dwristiaid ar y seddau yng nghefn y capel.

Pan ymddangosodd Megane ar y llwyfan, curodd y gynulleidfa eu dwylo, a chododd Syr Henry Jones ei law mewn cyfarchiad caredig, gan ddweud fel yr oedd wedi edrych ymlaen at ei chlywed. Goleuodd gwên ei wyneb am ennyd, ond nid oedd dim a allai ddileu llinellau'r cystudd. Carasai ef fiwsig erioed, a phrofodd ei rinwedd droeon fel therapi pan oedd tyndra byw o ddarlith i ddarlith yn ei gadw'n hir ar gopaon ei athrylith. Addefodd lawer gwaith fod canu'n deffro rhyw deimladau dieithr yn nyfnderoedd ei fodolaeth.

Aeth Megane dros y rhaglen a roesai y noson gynt. Dilynai Syr Henry hi yn eiddgar, a gwyddai hithau fod ysgolor gwych fel efe yn deall y darnau clasur a ganai mewn gwahanol ieithoedd. Er ei bod hi wedi ymdaflu'n llwyr i enaid a hudoliaeth yr hyn a bortreadai, sylwai fel yr oedd gwedd ddeallus Syr Henry yn dangos ei fwynhad a'i amgyffred o'r hyn a ganai. Yr oedd hyn yn ddigon o werthfawrogiad iddi.

I ddiweddu, canodd 'Dafydd y Garreg Wen'. Pan gyrhaeddodd y geiriau

> Dafydd, tyrd adre
> A chwarae drwy'r glyn,

torrodd Syr Henry allan i wylo'n hyglyw, hidl. Tawodd hithau ganu, ac oedi iddo ei adfeddiannu ei hun. Toc, cododd yntau, a chan bwyso'n drwm ar gefn y sedd, meddai mewn islais crynedig, "Yr ydych siŵr o fod yn synnu'n arw, Miss Megane, i weld beth a ddigwyddodd yn awr. Yr oedd Dafydd, 'dach chi'n gweld, yn gwybod na fedrai chwarae ei delyn drwy lyn cysgod angau. 'Rwy'n ymdrechu'n galed fy hun, fy mhlentyn annwyl, i ganu drwy'r glyn, ond 'rwy'n methu." Troes i wynebu'r rhai oedd yno, ac ychwanegodd yn Saesneg, "Gyfeillion, 'rwy'n falch i'ch gweld yma. Cred rhai Saeson fod barddoniaeth Cymru yn dechrau a diweddu gyda'r rhigwm,—'Taffy was a Welshman, Taffy was a thief,' ond 'rwyf am ddweud wrthych mai dim ond ychydig iawn o farddoniaeth glasurol orau'r Almaen ac Iwerddon a all gymharu â barddoniaeth orau Cymru." A bu tawelwch. Yn y modd yma daeth un o'r cyngherddau mwyaf cofiadwy yn hanes Leila Megane i'w derfyn. Trawyd cord yn ei hisymwybyddiaeth nas dileodd amser. Canodd 'Dafydd y Garreg Wen' niferoedd o weithiau wedyn, a phob tro ymrithiai wyneb annwyl Syr Henry Jones o flaen ei llygaid.

Gwahoddodd Syr Henry hi yn daer i de y prynhawn hwnnw, oherwydd yr oedd am holi ei hynt, a charasai sôn wrthi am lu o bethau. Ni fuasai dim yn well ganddi hithau na seiad felly, canys clywsai pa mor bleserus oedd ei gwmnïaeth, ond 'roedd amser yn gwasgu a'r byd yn galw. Diflas oedd gwrthod y tro hwn, ond addawodd yn bendant y deuai i'w weld mor fuan â phosibl. Gofynnodd ei gyfaill yn dra phryderus iddo, "Sut ydach chi'n teimlo ar ôl y cyngerdd?" "O!" atebodd yntau'n siriol, "mae'r boen wedi mynd!"

Troes Megane ei hwyneb am Ffrainc, i ailafael yn y gwaith o ymarfer clasuron, a rihyrsio'r darnau operatig anodd, a cheisio perffeithio'r acenion estron. Nid oedd eiliad i'w golli na'i wastraffu. Eithr ni fedrai anghofio Syr Henry, a dwyster ei wyneb wrth sôn am Ddafydd yn methu chwarae ei delyn yng nglyn y cysgodion ac wrth gyffesu ei brofiad yntau. Ni châi heddwch i'w meddwl gan yr atgof hwn. Yr oedd yn ei phoeni y peth cyntaf yn y bore, a'r peth diwethaf gyda'r nos. Penderfynodd yn sydyn gymryd y daith bell a mynd ar ei hunion i edrych amdano; mynd ar gwch y trên i Victoria, ac oddi yno'n syth i'r Alban. Teimlai rywbeth o'i mewn yn ei gyrru, a rhyw bwerau allanol yn tynnu.

Cyrhaeddodd orsaf Victoria a'r peth cyntaf a dynnodd ei sylw oedd hysbysiad mawr yn cyhoeddi marwolaeth Syr Henry Jones yn ei gartref yn Argyll yn yr Alban. Aeth iasau oer drosti. Gwaeddai'r bachgen wrth rannu'r papurau newydd, "Syr Henry Jones wedi marw!" A gwaeddai rhyw ellyll yn ei phen dryslyd hithau, "Mae ef wedi, mae ef wedi marw! Mae ef wedi marw!"

PENNOD 14

Prysurdeb ym Mharis

Yng nghyfnod ei mynd a dod yn Ffrainc daeth Leila Megane i gyffyrddiad â gwladweinwyr mwyaf y dydd. Tua diwedd y flwyddyn 1919 yr oedd cynlluniau pwysig ar droed ynglŷn â'r Gynhadledd Heddwch, a threuliai Mr. David Lloyd George ran fawr o'i amser yno, ynghyd â Mr. Bonar Law, Arglwydd Balfour ac eraill.

Un o hoff ddiddordebau Arglwydd Balfour oedd cerddoriaeth. Hoffai chwarae'r organ a'r piano, a diau iddo brofi hyn yn ddihangfa hapus oddi wrth y chwarae gwleidyddol. Gwahoddid Megane atynt i ginio yn fynych, ac wrth gwrs rhaid oedd canu iddynt. Hoffai Balfour y ganig syml, 'Ar Hyd y Nos' yn fawr.

Rhoes Syr George Mendel ei ystafelloedd at ei gwasanaeth i gynnal noson o ganu, a gwahoddodd ef ryw ddyrnaid o bobl ddethol yno i ginio ar unwaith. Cofiai Megane yn arbennig am yr achlysur hwn, oherwydd pan oedd y cwmni yn barod i ddechrau bwyta, curwyd y drws, a phwy oedd yno ond Winston Churchill! Teimlai'n unig a heb unlle i fynd yn y ddinas. Darparwyd lle iddo wrth y bwrdd, a gwasgodd i'w sedd rhwng Megane a rhywun arall.

Wedi cymysgu cymaint gyda'r bobl hyn, yr oedd lle i gredu y gallai hithau gael ei tharo â'r un haint. Ond na, ychydig iawn o ddiddordeb oedd ganddi mewn gwleidyddiaeth fel y cyfryw. 'Roedd lle i'r holl bleidiau yn ei chelfyddyd hi.

Tua'r adeg hon gwahoddwyd Marion Kemp a hithau i ginio preifat gyda Lloyd George yn ei fflat. Yn y tŷ gyferbyn arhosai Arlywydd Taleithiau Unedig America, Woodrow Wilson. Pwyntiodd y Prif Weinidog at un o'r ffenestri, a dweud yn ei ddull gwreiddiol ef ei hun wrth y merched, "Mae'n gwrthod dod allan, ond mi a'i gorfodaf ef i ddod i'r amlwg un o'r diwrnodau nesaf yma!" Ond ni welodd Megane ef o gwbl.

Yr oedd hi wedi arwyddo cytundeb i berfformio yn yr 'Opéra

Comique' am ddwy flynedd, ac yr oedd hi yn hapus iawn iddi gael ei derbyn yma, canys o ran safon cyfrifid hon yn uwch na Covent Garden. Un eithafol o fanwl oedd M. Carre y Prif Gyfarwyddwr. Ni chaniateid ymddangosiad cyhoeddus nes oedd pob rhan o'r gwaith wedi ei feistroli'n berffaith, er y golygai hyn oriau niferus a blin o rihyrsio. Gosodai ar bob un o'r cymeriadau, pa beth bynnag oedd ei ran, yr un gyfrifoldeb â phe buasai yr opera'n gyfan gwbl yn dibynnu arno. Nid rhyfedd felly fod y safon yn uchel.

Chwaraeai Leila Megane yn y ddwy opera, 'Werther' a 'La Rôtisserie à La Reine Peclanque' o waith Nevada, a ysbrydolwyd i gyfansoddi'r miwsig gan lyfr Anatole France. Yr oedd hi wedi perfformio 'Werther' yn y trefedigaethau ac yn dra chynefin â'i rhan ynddi fel 'Charlotte', ond yr oedd yr opera arall yn newydd ac yn her iddi. Yn yr opera hon portreadai hi Jeanette, genethig dlawd a grwydrai'r ystrydoedd dan ganu rhyw fath o ffidil a chwaraeai wrth droi handlen iddi. Darn cymharol fychan oedd i Jeanette yn y rhan gyntaf a'r olaf. Myfyriodd Megane lawer uwch ben yr act oedd ganddi. Hoffai'r athroniaeth arbennig ar fywyd y ceisiai awdur y geiriau 'i gyfleu.

Mae dulliau Ffrainc yn gwbl wahanol i ddull y Cymru, ac nid oedd trefniant ar gyfer encôr yn yr opera. Ond bu raid torri ar yr arferiad pan ganodd 'Jeanette' drwy gyfrwng Megane yr aria yn yr act olaf. Gwaeddai'r dyrfa am ei chlywed eilwaith,—roeddynt wedi cael eu swyngyfareddu. Bu raid caniatáu toriad i encôr yn y perfformiadau dilynol.

Daeth cyfansoddwr y miwsig ati ar y diwedd i'w llongyfarch am ei dehongliad campus. Yr oedd wedi gwirioni'n lân, ac ar ei liniau yn cusanu ei dwylo a'r dagrau'n powlio i lawr ei ruddiau. "A'r fath eirio; deallwn bob llythyren a minnau fry yng nghongl bellaf yr oriel," meddai. Cafodd dusw ysblennydd o flodau oddi wrth Anatole France, a blwch hardd o siocled mewn sidan a melfed gan y cyhoeddwyr. Heblaw hyn 'roedd blodau fyrdd yn datgan gwerthfawrogiad y dyrfa hefyd.

Daethai parti lluosog o'r Pwyliaid yno, yn eu lifrai militaraidd, a bu Megane yn westai cinio ganddynt ar ôl hyn. Gwyddent mai un o'u cenedl oedd ei hathro.

Leila Megane yn chwarae rhan 'Charlotte' yn yr opera *Werther*

Rhyfeddai Megane at y serch cyffredinol oedd ymhlith y Ffrancod tuag at yr opera. Pan alwodd un bore ar ei ffordd i'w gwersi mewn siop fach, gyda chopïau o weithiau clasurol dan ei chesail, cafodd ymgom ddiddorol gyda'r siopwraig am y pethau. Gwyddai hon am yr operâu o A i Y. Syfrdanwyd Megane gan ei gwybodaeth, a hithau ond dynes gyffredin.

Bwriadai Jean de Reszke ddod i'r 'Opéra Comique' ar achlysur ei hymddangosiad cyntaf yno, er nad oedd fel rheol yn mynd i weld ei ddisgyblion yn perfformio. Ond nid oedd yn dda ei iechyd ar y pryd, ac wedi mynd i'w fila yn Nice am newid ac atgyfnerthiad.

Yn Ffrainc yr oedd yn arferiad gan gantorion proffesiynol i gyflogi nifer o ddynion i ddod i'r theatr i frwd-gymeradwyo a churo dwylo,—rhywbeth yn debyg i deuluoedd yn y dwyrain yn llogi merched i grïo'n uchel mewn tŷ galar. Ni fedrai Megane fforddio cael y *'claque'* fel y gelwid cynffonwyr y theatr, a synnodd glywed gan Melba ei bod hi yn eu cael bob amser, a'u bod yn rhoi byd o hyder iddi ar y llwyfan.

Bu cyfarwyddwyr yr 'Opéra Comique' yn garedig iawn wrth Leila Megane yn ystod ei hymrwymiad. Rhyddhawyd hi droeon i fynd i Lundain i ganu mewn gwahanol gyngherddau.

Cydnabyddid hi bellach gan y Ffrancod fel un ohonynt hwy. Ar sail hyn mentrodd ofyn am gael ymddangos yn yr 'Opéra Paris'. Mynnent wrthod ar y cychwyn, ond wedi deall bod M. Carre yn ei chefnogi, a'i bod yn ddisgybl i Jean de Reszke, yr oedd y dorau yn agor led y pen iddi. Yn anffodus gwrthdarawai y dyddiadau a gynigid iddi ag ymrwymiadau pwysig eraill yr oedd hi eisoes wedi eu haddo.

Ymwelodd Cyfarwyddwr o 'Opéra Monte Carlo' â Jean de Reszke yn erfyn ar Megane gymryd rhan yn y ddrama gerddorol a oedd ymlaen ganddo ar y pryd. Nid apeliai hon at ei chwaeth hi, a gwrthododd ei gynnig yn bendant. Daliai yntau i bwyso arni, ac o'r diwedd gwnaeth gyfaddawd. Cytunodd hi â'r athro y gallai yn lle cymryd rhan y Frenhines yn y ddrama, actio fel un o'i llawforwynion, a thrwy newid ychydig bach ar yr act, gael gan y Frenhines ofyn iddi swyno'r llys drwy ganu iddynt! "Campus," meddai'r Cyfarwyddwr, "fe gawn glywed ei llais felly."

Aeth Megane i Monte Carlo, a phan ddaeth y noson fawr, gwnaeth ei rhan yn orfoleddus. Rhoddid lle arbennig i'r delyn yn yr opera hon, a chanodd hithau 'Gwlad y Delyn' a dwy gân Saesneg.

Bu'n cynnal cyngerdd yno wedyn yn ddiweddarach. I'w chlywed y tro hwn daeth Tywysog Monaco a'i nith fabwysiedig, a chafodd ymddiddan felys â hwy ar derfyn y cyngerdd. Adwaenent de Reszke yn dda, ac yr oeddynt yn uchel iawn eu parch ohono fel canwr ac fel gŵr bonheddig. Wedi deall mai Cymraes ydoedd 'roedd ei ddiddordeb yn fawr yng Nghymru ac yn yr iaith Gymraeg, a gwahoddodd y ddau hi atynt i ginio ym Mharis ymhellach ymlaen.

Wedi clywed cymaint o hanes y *Casinos,* mynnodd Megane fynd i weld un ohonynt drosti ei hun. Yr oedd yn union fel y dychmygodd, y byrddau hir, tinc yr arian, a dynion a merched oddeutu ar goll ym mreichiau blys a thrachwant. Mamon oedd yn llywodraethu. Synnodd weld wynebau'r merched yn arbennig. "Mam bach," meddai dan ei gwynt, "dyma uffern ar y ddaear!" Gwaedai ei chalon biwritanaidd drostynt, a meddyliai pe gwelai rhai o hen batriarchiaid duwiol Pwllheli yr olygfa drist, byddai ganddynt ddigon o destun Seiad a Chyfeillach am amser maith. A hithau'n synfyfyrio, clywodd glec gwn gerllaw! Toc, cipwelodd ddyn yn cael ei gario allan o'r ystafell nesaf. Yr oedd wedi colli'r cwbl o'i eiddo y noson honno.

PENNOD 15

Seiadau Difyr

Daeth gwaith Leila Megane â hi i gyfathrach â lliaws o gymeriadau diddorol ac amrywiol iawn. Cyfoethogodd y rhai hyn ei bywyd, a rhoi cip iddi ar feysydd na wyddai hi nemor ddim amdanynt o'r blaen. Dysgodd bethau newydd a manteisiodd ar bob cyfle i ehangu ei gorwelion.

Bu'n ffodus tra oedd yn byw yn Ffrainc o gael ei chroesawu i gartref Saint-Saëns, cyfansoddwr miwsig yr opera glasur, 'Samson and Delilah'. Ystyriai hi hon yn uchel iawn, ac yr oedd yn gweddu ei llais yn dda. Dysgodd hi'n drwyadl, ac yr oedd wrth ei bodd yn ei chanu.

Dyn bychan o gorff oedd Saint-Saëns, a'i goesau bron yn rhy fyr i'w draed gyrraedd pedalau'r organ. Edrychai fel patriarch gyda'i farf wen a'r olwg ddifrif-ddwys ar ei wyneb. Mynnai ddistawrwydd perffaith yn ei dŷ, a siaradai'r morynion a phawb yno mewn sibrydion.

Aeth ef a Megane dros yr opera o'r dudalen gyntaf i'r olaf, ac yntau yn neidio a chwarae'r cyfeiliant ar yr organ a'r piano bob yn ail. Clodforai ef ei dull o ganu'r aria 'Mon Coeur'. Canai hi hon mewn tempo cyflym. "A!" ebr yntau, "dyma rywun o'r diwedd a fedr rwydo Samson! Mae'r mwyafrif a glywais yn canu'n rhy araf a breuddwydiol, a gallai Samson newid ei feddwl!" Ac ychwanegodd, "'Rwy'n falch o glywed eich llais cynhesol, y nodau isel cyfoethog ac atsain melodaidd y nodau uchaf. A mae eich geirio clir yn lledawgrymu i mi nad merch o Ffrainc ydych." "O nage," meddai hithau ar ei hunion, "Cymraes wyf i." "A! dyna eglurhad ar bethau," ebr yntau, "dyna paham y mae'r lliw, y cyfoeth a'r brawddegu mor berffaith gennych. Iaith a mynyddoedd Cymru sy'n gefndir i chwi."

Braint fawr bywyd proffesiynol Leila Megane hefyd oedd cymdeithasu llawer un adeg â Syr Edward Elgar, un o gyfansoddwyr enwocaf Lloegr. Buont yn cydweithio'n ddiwyd ar gyfer recordio gyda H.M.V. Proses gyntefig iawn oedd torri record yr adeg honno o'i gymharu â'r dull modern heddiw, oblegid ni ddefnyddid y meicroffon, a rhaid oedd gosod y gwahanol offerynnau yn y stiwdio mewn lleoedd cyfatebol i'r sŵn a gynhyrchent.

Hoffai Megane weithio gydag Elgar: yr oedd yn deip hamddenol a di-lol. Ond yr oedd yn dueddol i ymgolli'n llwyr yn swyn y gerddoriaeth, ac ni wnâi hynny'r tro o gwbl pan oedd record ar waith, a phob un â'i lygad ar y cloc. Gorchwyl digon annifyr ydoedd cyn dydd perffeithio'r cyfryngau.

Ym mlynyddoedd ei hanterth câi hi wneud ei gwisgoedd gan ffasiynwr enwocaf y byd ar y pryd, sef *Worth*. Daeth i adnabod John Worth a'i dad yn bur dda, ac 'roedd cael teilwriaid profiadol fel hyn yn gymorth o'r mwyaf iddi, gan nad oedd ganddi amser i'w wastraffu i redeg o'r naill wniadwraig i'r llall, a hwyrach yn methu cael ei bodloni. Gwyddai Worth beth oedd yn ei gweddu.

Digon yma sôn am ddwy yn unig o'r ffrogiau a wnaeth ef iddi. Lliw cwrel oedd un, o sidan a thiwl, wedi ei brodio drosti â mwclis cwrel, gyda dolen fawr yn cydio'r wasg yn y cefn. Gwisgodd hon ar ei hymddangosiad cyntaf yn yr Albert Hall yn Llundain, a safai allan yno gyda chefndir du a gwyn gwŷr y gerddorfa. Yr oedd ffrog o sidan glaswyrdd ac arian, wedi ei thorri ar ddull Groegaidd, gyda border llydan ar y godre yn cilagor bob ochr i ddangos pais o felfed glas-nos, ac i orffen y greadigaeth 'roedd ffwr go iawn yn ei haddurno. Cyflwynodd John Worth anrheg iddi i fynd gyda'r wisg gwrel,—gwyntyll o blu lliw fflam a chwrel yn graddio i felyn a hufen. Gwelwyd y wyntyll hon ar lu o lwyfannau.

Yn ei hymweliadau â Thŷ Worth cododd lawer o awgrymiadau ym myd ffasiwn—er enghraifft, dywedwyd wrthi mai mewn dillad du i gyd, neu mewn gwisg wen o'r pen i'r traed, y mae merch yn edrych ddelaf, meinaf, a mwyaf gosgeiddig. Suddodd ei chalon braidd wrth glywed hyn, canys un gymharol fer oedd hi ac wedi datblygu corff cantores.

Fel y soniasom eisoes, tyfodd a blagurodd cyfeillgarwch dwfn rhwng Marion Kemp a Leila Megane, a pharhaodd hyn hyd ddiwedd ei hoes. 'Roedd pa le bynnag yr arhosai Miss

Kemp ym Mharis fel cartref iddi, a bu yn aros am amser hir gyda hi yn Rhufain yn y blynyddoedd 1916-1918 ac wedi hynny. Yr oedd gan Miss Kemp lawforwyn o waed Ffrengig, a fu'n un o'r pedair morwyn a wasanaethai Ardderchocaf Dduges Rwsia. Ei swydd hi oedd gofalu am y gemau a'r gwisgoedd seremonïol, ac yr oedd ganddi lawer o straeon digrif a difrif am y gwaith.

Trigai ffrind arall i Megane yn Llundain gyda chysylltiadau â Rwsia. Carai hon goginio'r bwydydd i gyd ei hun, ac yr oedd blas da ar bopeth a wnâi. 'Roedd ei thŷ yn atgoffa Megane o fwthyn yng Nghymru,—twt a phlaen o'r tu allan, ond wedi ei ddodrefnu'n gain a chwaethus. Edrychai'r un forwyn a oedd ganddi yn debyg iawn i ffigur tegan Dresden, a mynnai roddi cyrtsi bob tro y derbyniai ymwelydd i'r tŷ. Bu'r ffrind yma yn sôn llawer wrth Megane am erchyllterau'r chwyldro yn Rwsia. Ffoesai hi oddi yno am ei bywyd, ac un o'i thylwyth a saethodd Rasputin.

Perthynai llawer o gyfeillion Leila Megane ym Mharis i swyddfeydd y llysgenadaethau, y mwyafrif ohonynt yn Americanwyr. Bu am de gydag un ohonynt un prynhawn, a deall mai yn yr ystafell arbennig honno o'r tŷ bwyta yr oedd Thackeray wedi ysgrifennu *Pendennis*. Gyrrai rhyw newydd fel hyn gyffro trwyddi, fel pe cyffyrddid â'i hysbryd gan donnau annelwig.

Fe'i cysylltodd ei hun yn agos iawn â merch ieuanc o'r enw Hope Harjes. Pan oedd hon ym Mharis, ymgartrefai mewn tŷ dros y ffordd i Jean de Reszke. Er bod ei thad yn gyfarwyddwr y Banc Americanaidd, Morgan and Harjes, geneth annwyl a gostyngedig oedd hi ac o galon dyner a charedig. Cafodd hi a Megane oriau difyr yng nghwmpeini ei gilydd, ac ni fedrai Megane fyth freuddwydio talu'r pwyth am yr holl gymwynasau a dderbyniasai oddi ar ei llaw. Edmygai a gwerthfawrogai yn fawr iawn y wisg brynhawn o sidan glas trwm a gyflwynwyd iddi gyda phâr o sliperi melfed hefyd i gydweddu.

Bu droeon gyda Hope yn ymweld â'i nain yn Grasse. Yno 'roedd Natur fel petai wedi troi'n chwil a thaflu tomennydd o flodau amryliw i garpedu'r lle. Tu draw i'r rhialtwch lliwgar nythai ffatri gwneud sebonau o bob math, ac adeiladwyd tai, *villas* addurnol, hwnt ac yma, a phob lawnt megis wedi ei chribinio â chrib fân.

Pan ddaeth yr amser i Hope ddychwelyd i America penderfynodd hwylio ar long o Naples. Hebryngodd Megane hi yno, a bu ffarwelio hiraethus yn y caban, cyn i'r cwch ymwthio i'r môr mawr. Wrth sefyll ar y cei yn gwylio'r llong yn symud yn araf tua'r gorwel teimlai Megane ei bod yn cipio ei ffrind anwylaf allan o'i byd a'i bywyd. "'Welaf i byth mohoni mwy," meddai wrthi ei hun wrth droi o'r fangre. Teimlai yn oer ac annifyr er bod yr haul fel arian byw ar fae Naples.

Er ei chwithdod a'i galar ni synnodd glywed am farwolaeth ddisyfyd Hope Harjes yn fuan wedyn. Fe'i lluchiwyd oddi ar ei cheffyl, a phrofodd y niweidiau'n angheuol. 'Roedd y fodrwy dlos a adawodd i Megane yn ei hewyllys yn brawf o'r hoffter a ffynnai rhyngddynt.

Cynghorion y Mawrion

Wrth gyrchu copaon ei galwedigaeth cafodd Leila Megane lawer egwyl ddiddan iawn, a mannau hyfryd i ymdroi ynddynt. Cyfarfu â sêr disgleiriaf y gelfyddyd, y bobl hynny sydd uwchlaw cenfigen, wedi ymgolli'n llwyr yn eu dawn, ac yn barod i groesawu eraill cyffelyb i'w teyrnas. Bu rhwbio ysgwyddau â'r rhai hyn yn brofiad melys iddi, a gallodd eu cyfrif yn gyfeillion cywir.

Un o'r cyfryw rai oedd Adelina Patti. Ymserchodd Megane yn fawr yn y gantores wych yma o'r Eidal, a loes ganddi na chafodd ychwaneg o win ei chymdeithas.

Bu droeon lawer yng nghwmni Nellie Melba, ac yma eto brigodd cyfeillgarwch ebrwydd o'r ddwy ochr. Brodor o Awstralia ydoedd hi ac yn hanu o deulu cefnog, fel nad oedd y boen o ennill bywoliaeth drwy ganu yn ofid iddi hi o gwbl. Yr oedd cyfandir mawr ei geni o'r tu ôl iddi pe deuai'n argyfwng arni, a chan fod Awstralia yn un o daleithiau'r Ymerodraeth yr oedd Prydain Fawr ei hun yn llawer mwy o'i phlaid. Beth oedd Cymru Fach o'i chymharu? Perthynas dlawd i Loegr, a rhaid oedd i bawb a fentrai dros ei throthwy ymladd yn galed am gydnabyddiaeth yn y byd mawr y tu allan. Profodd Megane wirionedd hyn i'r byw.

Bu Melba a hithau un prynhawn yn trafod yr ochr faterol i'w busnes. Awgrym Melba iddi oedd gwario rhai miloedd o bunnau i werthu ei henw, a'i wneud yn hysbys ac yn adnabyddus ym mharthau pellaf y byd, ac yn fwy felly lle trigai Cymry. Soniwyd am yr union syniad wrthi gan un neu ddau arall, ond pwy a ddeuai ymlaen mewn oes ansicr a sigledig i fuddsoddi y cyfalaf yma yn ei thalent? Apeliai'r peth yn fawr ati, er ei bod yn gweld mor amhosibl oedd rhoi adenydd i'r breuddwyd. Anodd iawn oedd argyhoeddi Melba o'r anobaith hwn, oblegid gwyddai hi o brofiad pa mor werthfawr oedd cyhoeddusrwydd a hysbysebu ar raddfa eang: "Mae'n

98

hanfodol os ydych am sicrhau eich dyfodol fel cantores broffesiynol," meddai. Eglurodd Megane y sefyllfa orau y medrai iddi, gan ychwanegu'n drist, "'Fedra' i byth wneud mwy nag a wnaf ac a wneuthum." A meddai Melba braidd yn ddiamynedd, "Piti garw na f'asech yn Awstraliad."

Deuai Melba i'w chlywed yn canu bob cyfle posibl. Trefnodd noson o ganu yn ei chartref yn Llundain. Leila Megane ac Irene Scharrer y pianydd enwog oedd y ddwy artist, a'r Brenin Maniwel o Bortiwgal oedd y gwestai arbennig. Carai ef gerddoriaeth yn angerddol. Gwyddai Megane y disgwylid iddi fod ar ei gorau y noson hon. Dewisodd sawl aria glasurol, ac ar gais Melba, 'Dafydd y Garreg Wen', a chân syml Eidalaidd (hi a gyflwynodd hon gyntaf i'r wlad hon). Enw'r gân fach oedd 'Fiocca la Neve' ('Mae'r eira'n disgyn'). Cyfansoddwyd y sgôr gan Pietro Cimara (y gŵr a ddysgai Megane pan arhosai yn Rhufain) a'r geiriau gan Pascoli. Swynwyd y dyrfa fechan, a bu rhaid iddi ei chanu chwe gwaith drosodd, hyd nes gwaeddodd y Brenin Maniwel, "Cymerwch drugaredd arni, wir!"

Ymwelodd â Melba lawer gwaith wedi hyn. Siaradent am de Reszke yn aml, a Melba yn hel hen atgofion amdano ef a hithau yn canu yn yr operâu, yn enwedig 'Faust', lle'r ymddangosai hi fel 'Marguerite' ac yntau wrth gwrs fel 'Faust'. Cymharai'r ddwy sut yr oeddynt yn cynhyrchu eu llais, a'r gwahanol nodau, a hyd yn oed syllu i gorn gyddfau ei gilydd. Nid oedd dim allan o le yn hyn, canys canu oedd bywyd y ddwy, a chymerent ddiddordeb yn y dull organig, ffisegol o'i gynhyrchu. Yr oedd Melba yn gwbl argyhoeddedig fod yr iaith Gymraeg yn gymorth i Megane yn ei geirio croyw, clir, a soniodd de Reszke a Patti am yr un peth.

Un tro cafodd Megane syndod pleserus yn un o'i seiadau gyda Melba. Eisteddai'r ddwy ar lwth bychan wrth y ffenestr. Daeth yn awr ymadael. "O, arhoswch ennyd," erfyniodd Melba. "Caewch eich dau lygad ac estynnwch eich llaw allan. Peidiwch â sbïo! 'Nawr 'te, agorwch nhw." Agorodd Megane ei llygaid, a gweld câs bychan o ledr pinc ar dor ei llaw, yn cynnwys y brôtsh delaf o berlau wedi eu hamgylchu ag adamantau ac emrallt—hoff emau Melba. 'Roedd Megane wedi ei gwefreiddio. Ychwanegodd Melba, "Edrychwch beth sydd o'r tu cefn iddo." Gwelodd hithau drwy'r niwl a oedd yn ei llygaid yr arysgrifen, 'Megane from Melba 1919'. "Yr oeddwn am gyplysu ein henwau am byth," meddai Melba gan wasgu llaw Megane yn gariadus. Ac wrth ffarwelio'r tro hwn rhoes Melba iddi lun hawddgar ohoni ei hun wedi ei lofnodi. Gyda'r tlws a'r darlun troes Leila Megane oddi yno a'i thraed ar y cymylau. Munudau fel hyn sy'n dod â darn o'r nefoedd i fyd amser.

Melba oedd y gwestai anrhydeddus pan ganai Megane mewn cyngerdd yn Tunbridge Wells, a chyflwynodd ysgubell hardd o flodau iddi ar ran yr artistiaid a'r gynulleidfa. Druan â Melba, ofnai lefaru yn gyhoeddus, ac ymbiliodd ar Megane i roi diolch yn ei lle. Rhyfedd fel yr oedd nerfau'r gantores fyd-enwog hon yn rhy fregus i siarad dau neu dri gair o gydnabyddiaeth ar lwyfan.

Ym Mharis unwaith pan gyfarfu'r ddwy, yr oedd Melba yn daer am ymweld â Jean de Reszke. Y tro hwn yr oedd yn rhy swil i fynd ar ei phen ei hun i edrych amdano, er eu bod yn hen ffrindiau. "Dewch efo mi, Megane," a ffwrdd â'r ddwy mewn tacsi i Fontainebleau lle 'roedd y meistr ar y pryd.

Daeth Megane i adnabod yr enwog Madam Tetrazzini, ffrind mawr Patti. Rhoes gyngor da iddi pa fan oedd orau i sefyll ar lwyfan eang yr Albert Hall, neuadd anodd canu ynddi. Bu'r ddwy'n siarad yn hir am Patti, a hawdd deall mor hiraethus oedd Tetrazzini ar ôl ei cholli. Yr arwydd olaf o'u cyfeillgarwch a gafodd oddi wrthi oedd clwstwr o rug gwyn. A chyd-ddigwyddiad rhyfedd, pan aeth i ymweld â bedd Patti yr hyn a welodd gyntaf oedd clwstwr o rug gwyn! Yr oedd Tetrazzini yn wylo'r glaw wrth adrodd yr hanes ac yn sôn mor dda oedd ganddi rannu o'i theimladau â rhywun a fedrai ddeall a chydymdeimlo.

Sylwodd Megane mai'r un sylwedd oedd ymhob un o'r cantorion safonol hyn yn y gwraidd. Madam Albani wedyn, o'r un brethyn y torrwyd hithau. Cyfarfu hi ag Albani a'i gŵr, deuddyn annwyl a diddorol, yn nhŷ un o'i ffrindiau. Boneddiges ddistaw ydoedd hi wrth natur, ond buan iawn y gloywai ei llygaid, ac y deuai allan o'i chragen, pan godai cerddoriaeth a chanu lleisiol yn destun y siarad. Soniodd Megane wrthi am ei helyntion a'i phrofiadau cymysg yn llamu o lwyfan i lwyfan er mwyn ceisio cyflawni ei galwadau. Yr oedd Madam Albani wedi dychryn ac meddai'n chwyrn, "Pwy ydyw'r bobl sy'n eich gyrru fel hyn? Mae hyn yn gywilyddus. Gwnânt gamwri â dawn Duw!" A soniodd ymhellach mai'r teithio parhaus yn fwy na dim oedd yn bwyta'r nerth.

Perthynai Albani i'r un genhedlaeth o artistiaid â'r brodyr de Reszke a Patti. Yr oedd yn ffefryn uchel iawn gan yr hen Frenhines Victoria, a derbyniodd rodd werthfawr ganddi o groes wedi ei gwneud yn arbennig iddi o berlau. Gwelodd Megane freichled hefyd a gafodd gan Arthur Sullivan, am gymwynas a wnaethai iddo unwaith. Aethai ef i'r Almaen gyda'i 'Golden Legend', ond gwnaeth y gantores benodedig anghyfiawnder dybryd â'r darn er siomiant mawr i Sullivan, ac yntau wedi addo ymddangos o flaen y Kaiser ei hun. Gyrrodd i Lundain yn syth am Albani, a gohiriodd hithau ymrwymiad pwysig er mwyn mynd ar ei hunion i'r Almaen. Cafodd groeso brwdfrydig, canodd ac ennill goruchafiaeth yng ngŵydd y Kaiser. 'Roedd diolch Arthur Sullivan yn ddifesur. Chwiliodd holl siopau Berlin am y diemwnd mwyaf a threfnodd ei osod mewn breichled aur fel arwydd o'i deyrnged iddi, ac arno'r arysgrifen, "Arthur Sullivan 1886".

'Roedd Leila Megane yn un o'r sêr a ddewiswyd i ganu yn Covent Garden mewn cyngerdd mawreddog er budd i Madam Albani, a drefnwyd gan Melba a Syr Landon Ronald. Yr oedd y Theatr, a roddwyd yn ddi-dâl at yr achos, yn orlawn. Pan arweiniwyd Brenhines y Gân i'r llwyfan yn ei chadair olwyn, 'roedd y foment deimladwy odiaeth. Ffurfiodd yr artistiaid hanner cylch amdani, gosododd Melba blethdorch lawryf wrth ei thraed a'i chusanu, a chododd y dyrfa fawr fel un gŵr gan gymeradwyo'n hir. Nid anghofiodd Megane fyth y darlun dwys hwn.

Patti, Tetrazzini, Albani, Melba,—breninesau cydnabydd-edig byd melodi. Arddelent Leila Megane fel eu cydradd a'u cyd-fforddolyn ar lwybr y gân.

Penllanw'r Cyngherddau

Am ryw reswm neu'i gilydd daeth Cwmni Tŷ Opera Covent Garden, fel yr adwaenid ef, i ben cyn diwedd y flwyddyn 1919, ac ad-drefnwyd cwmni newydd. Erfyniwyd yn daer ar Leila Megane i ddal ymlaen gyda'i chytundeb gwreiddiol, ond oherwydd iddynt nacáu cynnwys yr opera 'Samson and Delilah' yn y rhaglen, gwrthododd hithau yn bendant ganu iddynt y tymor dilynol. Cyrhaeddasai hi y safon bellach pryd y gallai hi ddewis ei llwybr ei hun, ac ar wahân i hyn llifai'r galwadau am ei gwasanaeth i mewn o bob cyfeiriad. Daliai hi gyngor doeth de Reszke yn ei meddwl, ''Rhaid cael corff cryf a chydnerth i ddal gerwinder parhaus bywyd yr opera; mae canu mewn cyngerdd yn rhywbeth hollol wahanol.''

Eithr ar gais y Cyfarwyddwr addawodd chwarae rhan Magdalenna yn yr opera 'Rigoletto', mewn tri pherfformiad gala. Nid oedd dig na chwerwder o'r un ochr. Fe'i profodd Mr. Higgins, y Cyfarwyddwr, ei hun yn gyfaill cywir, ac ar ôl ymgom onest fe'i rhyddhaodd hi yn derfynol ac yn llwyr o'i hymrwymiad i weithio allan ei hiachawdwriaeth ei hun.

Sylweddolodd hi yn fuan iawn ei bod yn gwbl amhosibl iddi drefnu a pharatoi ei bywyd proffesiynol ei hun, ac fe sicrhaodd felly wasanaeth profiadol Mr. Lionel Powell fel ysgrifennydd busnes iddi. Dyma swydd sy'n gofyn llawer iawn o egni, gan gymaint y manylion sy'n rhaid rhoddi sylw iddynt. Ynghyd â threfnu cyngherddau o fri, rhai rhyngwladol a phlwyfol, gyda'r hysbysebu, cynllunio rhaglenni, rhaid gofalu am y teithio, gwesty, neuadd, y gerddoriaeth, blodau, brasluniau i'r wasg, a gweithio i amserlen anhyblyg.

Un o deithiau cerddorol cynnar Megane oedd cynnal cyngherddau yn ninasoedd mwyaf Prydain, gan gychwyn yn yr Albert Hall, Llundain, a diweddu yn Lerpwl, gyda chyngerdd yn Neuadd y Philharmonic yno. Synnodd yn fawr pan ddywedodd Lionel Powell wrthi i'r unwedd daith gael ei gwneud y pedair blynedd cynt gan Melba, Tetrazzini, Paderewski ac Evan Williams, y tenor Cymreig o America.

Cafodd noson wefreiddiol yn yr Albert Hall. Yr oedd y neuadd anferth hon yn orlawn, a rhaid fu cau'r swyddfa dicedi ymhell cyn dechrau, er mwyn rhwystro'r tyrfaoedd a ymwthiai i mewn. 'Roedd y darlun hardd o'r gantores ar y posteri yn ddigon o abwyd i dynnu'r bobl. Ac ni wyddent yn iawn pa genedl ydoedd, "Mae'n dod o Ffrainc," meddai un. "Na! Na! Saesnes yw hi," meddai'r llall. Anghywir y ddau. Cymraes o'i sawdl i'w chorun oedd Leila Megane, a bu'n lladmerydd croyw i'w gwlad ar lawer llwyfan estron.

Eisteddai'r Dywysoges Louise yn rhes flaen y seddau y noson honno, a Mrs. Lloyd George wrth ei hochr. Yr oedd Syr George Power a'r Fonesig Eva Power yno hefyd, a golwg falch a bodlon arnynt o gofio eu bod hwythau wedi helpu mowldio y ferch ryfeddol hon o Gymraes a safai mor hyderus a hamddenol ar y llwyfan. Yn bresennol hefyd, yn ei gwisg genedlaethol o wyn ac arian, yr oedd Sarajini Naidu, y bardd athrylithgar o Indiad. Yn ddiweddarach, cafodd Megane de yn ei chwmni, a hoffai ei dull boneddigaidd, a'r awyrgylch gyfrinol o'i chwmpas.

Yr oedd lliaws o'r Fataliwn Gymreig yn bresennol, ac ymhlith y blodau aneirif a gyflwynwyd yr oedd clwstwr mawr oddi wrthynt hwy, gyda'u lliwiau.

Leila Megane oedd yr unig ddatgeiniad yn y cyngerdd hwn. Arweiniwyd y gerddorfa gan Syr Landon Ronald. Cydweithiai ef a Megane yn hyfryd gyda'i gilydd bob amser. Rhoddai ef ryw deimlad o ddiolchgarwch iddi, a weithiai'r gwifrau anweledig a oedd rhyngddynt yn berffaith.

Canodd droeon wedyn yn y neuadd hon. Arweiniwyd y gerddorfa unwaith gan Kossevitski. Yn y bocs brenhinol y noson hynny 'roedd y Frenhines Mari a'i pharti.

Ar deithiau cerddorol fel hyn, o'r naill ben i'r wlad i'r llall, gweithiai Megane yn ddiorffwys, ac yn aml iawn yn ystod y trafaelio, dychwelai o ddinas bell hwyrach i Lundain am y pen-wythnos i ganu yng nghyngherddau Syr Henry Wood a'i Gerddorfa yn Neuadd y Frenhines—cyrraedd gorsaf Euston yn y bore bach, gorffwys ysbaid cyn mynd i rihyrsal am un-arddeg o'r gloch, yna cyngerdd yn y prynhawn ac un arall yn yr hwyr. Nid oedd gwibio mewn cerbyd modur, heb sôn am awyren wedi dod i fri yr adeg yma a rhaid oedd dibynnu'n gyfan gwbl ar wasanaeth y rheilffordd. Rhai o'r artistiaid a gymerai ran yn y cyngherddau mawreddog oedd Kubelik, Bachawo, Pouishnoff a Marie Hall.

Ar yr adeg yma preswyliai Megane mewn lle drudfawr yn y Brifddinas, canys gorchwyl anodd oedd dod o hyd i lety pwrpasol ar ôl y Rhyfel. Ymhellach ymlaen bu'n ffodus i gael lle cysurus ym mharthau De Kensington gyda gweddw o'r enw Mrs. Thatcher a'i merch. Estynnid croeso cynnes yno i amryw o enwogion ym myd cerdd a ddeuai i ymweld â Megane.

Dylifai'r galwadau i mewn o hyd. Yn ddiamau yr oedd ei henw yn uchel iawn yn y cylchoedd canu safonol. Addolai'r tyrfaoedd hi, a llifeirient allan o theatr neu neuadd gydag olion crïo mawr ar eu hwynebau. Brwydrent i gael cipolwg arni, a hi fyddai llwncdestun y noson honno mewn amryw o leoedd. Dan ei chyfaredd ehedent ennyd ymhell uwchlaw eu bywyd beunyddiol, a theimlent wrth wrando'r gantores ddeinamig hon, fel pe bai gwreichionen drydanol, neu fellten wib wedi eu taro. Yr oedd ei mwynllais hi yn treiddio i'r galon ynghynt na'r ymennydd. Dyma ragoriaeth celfyddyd bur. At hyn yr oedd ganddi hi gyfrinach fawr y gelf—llais llawn melodedd, ac y mae theatrau a chanolfannau celfyddyd mwya'r byd yn ddibynnol ar hyn. Fel y dywedodd rhywun,—*"Melody would ever be the purest expression of human thought, clear, flowing, spontaneous melody"*. Un o roddion mwyaf Duw,—talent!

Ymhen amser cynefinodd Megane â'r ecstasi mawr a feddiannai ei chynulleidfaoedd cyn gynted ag yr ymddangosai ar lwyfan. Os oedd y deunydd a neges y gân yn aml tu hwnt i'w hamgyffred meddyliol, ba waeth, oblegid teimlent y gorhoffedd, a hynny ar unwaith. Nid oedd yn rhaid i'r perfformiwr gynhesu a mynd i mewn megis i ysbryd y darn,—yr oedd Leila Megane yn nydd ei hanterth yn trydanu'r awyrgylch yn syth.

Clybu Paul, Apostol mawr y Cenhedloedd lef gynt yn galw arno dros y dŵr o Facedonia, "Tyred drosodd a chymorth ni!"

Clybu Leila Megan lef o Ynys Manaw yn galw arni, "Tyred drosodd a chân i ni!" Cafodd hwyl ysgubol yno. 'Roedd y Manawiaid yn mwynhau ei chlywed, ac i'w boddio'n fwy fyth canodd iddynt hen alawon eu cyndeidiau. Cyffyrddai hyn â'u calonnau ac ymbiliwyd arni i ymweld â hwy yn fuan wedyn, ond nid addawodd. Bu'r môr yn chwarae ei gastiau pan oedd y cwch yn croesi yno, nes ei gwneud hi'n sypyn sâl. Hoffodd ei harosiad byr yno yn y flwyddyn 1920 a gwerthfawrogai'n fawr y croeso gwresog a roddwyd iddi, ond yr oedd un fordaith yno yn ddigon. Un o bontydd Telford ar draws y weilgi, a buasai'n hawdd iawn teithio yno!

Cerddodd o oleuni i oleuni ym mlynyddoedd cynnar y dauddegau, a byddai angen cyfrolau lawer i adrodd ei holl helyntion. Fe'i profodd Mr. Lionel Powell ei hun o wir werth yn ei ofal o'i hamgylchiadau materol. Nid ei heiddo hi yr arian mawr a enillai: rhaid oedd talu i'r cwmni gloyw hwnnw a'i swcrodd yn y lle cyntaf i fentro'r bywyd ar raddfa uchel. Mor hapus oedd pan ad-dalodd y bunt ddiwethaf o'i dyled iddynt, drwy law Arglwyddes Glanusk, ysgrifenyddes y syndicet.

Yn ychwanegol at hyn, beth am wersi Jean de Reszke? Ei bris arferol ef am wers o hanner awr ydoedd wyth gini, a gyfrifid yn ffortiwn fach yn y dyddiau hynny. Wrth gwrs, meibion a merched i uchelwyr Ewrop oedd y mwyafrif o'i ddisgyblion ef, ac nid oedd fforddio wyth gini am ddeng munud ar hugain yn ddim ond crych ar wyneb y dyfroedd iddynt hwy.

Diwrnod i'w gofio oedd hwnnw i de Reszke pan dderbyniodd y siec gyntaf o ganpunt oddi wrth Leila Megane. Beth wnaeth y meistr? Wylo fel baban. Fisoedd ar ôl hynny, dangosodd y siec i Miss Kemp. Yr oedd wedi'i phlygu fel consertina, a bron yn ddarnau: "Sbïwch," meddai wrthi, a'i lygaid yn byllau disglair, "beth mae Megane annwyl wedi ei yrru imi o'i henillion, sut yn y byd y gallaf ei newid! Yr oedd yn gymaint o bleser ei dysgu."

Yn un o'r cyngherddau gala yn Covent Garden, canodd dan arweiniad Syr Thomas Beecham, a dan Leopoldo Mignone ar ddau dro arall. Hoffodd arddull Syr Thomas Beecham yn fawr iawn. Yr oedd ei dempo, y lliw, a llif esmwyth ei symudiadau yn ddatguddiad i'w llygaid,—arweinydd campus ymhob ystyr.

Fe'i gwahoddwyd i ganu mewn cyngerdd elusen a gynhaliwyd yn Rhif 10 Downing Street. Argraffwyd rhaglenni gyda chloriau sidan gwyn ag ymylwe addurnol. Costiai'r rhaglenni gini yr un, ond rhoes Megane ei gwasanaeth yn rhad. Daethai rhai o deulu'r Prif Weinidog o Gricieth, ac yn nesaf at Mrs. William George eisteddai Mr. Winston Churchill. Mae'n debyg iddo ef ofyn iddi ai yr un oedd y gantores â'r eneth ifanc a welsai ac a glywsai ym Mrynawelon naw mlynedd ynghynt. "Anodd dychmygu cymaint o gyfnewidiad mewn cyn lleied o amser," meddai.

Leila Megane oedd yr unig ferch a oedd yn bresennol mewn cynulliad o brif ddynion o'r adrannau Rhyfel a alwyd gan Mr. Lloyd George i ginio. Cytunodd hi i ganu a derbyniodd bedwar ugain punt am ei gwasanaeth y tro hwn. Yr oedd Tywysog Cymru yn bresennol, a gwladweinwyr fel Arglwydd Balfour, Mr. Bonar Law, Arglwydd Melchett, ac amryw â'u henwau a'u lluniau yn aml iawn ar dudalennau'r wasg. Melys iawn fu ymddiddan Megane â Dr. Thomas Jones, hen ddisgybl i'r annwyl Syr Henry Jones a oedd newydd farw. Soniodd hithau am ei hanes yn canu iddo yn Aber-soch, ac yntau yr adeg honno yn wael iawn ei iechyd. Bu colled Cymru'n drwm o'i golli ef.

Mr. Ivor Newton a gyfeiliai iddi y noson honno. Ar gais y Prif Weinidog canodd ei ffefryn, 'Dafydd y Garreg Wen'. Yna awgrymodd hi gân newydd a gyfansoddwyd er cof am Syr Henry Jones gan Osborne Roberts, er nad oedd ond mewn llawysgrif ar y pryd. Yn ddistaw, ddibetrus cododd y cwmni ar eu traed, i wrando ar 'Y Nefoedd' yn cael ei chanu y tro cyntaf erioed. Dyma awr geni y dôn adnabyddus a anfarwolwyd gan Leila Megane, ac a gysylltir â'i henw byth oddi ar hynny.

Trefnodd y syndicet noson gerdd yn 30 Bruton Street, cartref yr Uwch Gapten Christie Miller. Ar wahân i'r ffaith ei bod yn orig bleserus dros ben cafodd Megane syndod o'r mwyaf pan gyflwynodd Mrs. Christie Miller iddi, ar ran y cwmni, oriawr aur wedi ei gosod mewn cylch o emau, a 'Covent Garden 1919' wedi ei arysgrifennu ar ei chefn.

Teyrnged ydoedd yn cyfleu eu hedmygedd o'i dawn, a'u gwerthfawrogiad o'r modd ardderchog yr oedd wedi gweithio.

Rai misoedd ar ôl hyn canai mewn cyngerdd a drefnwyd gan Arglwydd Melchett. Gofynnodd iddi am 'Y Nefoedd'. "A wnewch chi os gwelwch yn dda ganu'r diwn honno a ganasoch yn Rhif 10 Downing Street? Gwn ystyr y geiriau a medraf y dôn." A dechreuodd ei chwibanu'n ddistaw.

Rhoddodd Mr. Lloyd George ginio eto yn Downing Street, i groesawu Tywysog Cymru gartref o India. Penderfynwyd gwahodd Leila Megane i ganu, canys gwyddent pa mor uchel ydoedd yn ffafr y Tywysog. Buont yn ffortunus i'w chael wedi chwilio'r wlad amdani, oblegid bywyd diorffwys felly oedd ei rhan y blynyddoedd hyn, wrth geisio bodloni pobun yma ac acw a ofynnai am ei gwasanaeth. "Dewch â'r caneuon a fynnoch efo chi," meddai'r neges, "ond nac anghofiwch 'Dafydd y Garreg Wen!" Y tro hwn yr oedd yno gantores arall, Maggie Tyte. Gwnaeth hi ei henw wrth ganu'r gân serch allan o 'Rose Marie'. Swynwyd y Tywysog ieuanc gan ganu'r ddwy ferch, a chawsant ymgom ddifyr a hir gydag ef ar derfyn y noson.

Canolfan ddelfrydol i ganu ynddo ydoedd Chelsea House gyda'i neuadd eang o farmor. Trefnwyd cyngerdd yno gan Arglwydd ac Arglwyddes Kylsant, pan oedd Megane yn Covent Garden. Albert Sammons oedd y datgeiniad arall. Ar derfyn y noson cyflwynwyd Megane i dair tywysoges, ac eisteddai wrth dri bwrdd bach crwn mewn ystafell gerllaw'r llwyfan gyda swyddogion milwrol gosgeiddig yr olwg ac o radd uchel yn gwmni iddynt. Cyflwynwyd hi i'r Dywysoges Beatrice, mewn cyngerdd arall a chafodd y ddwy sgwrs felys odiaeth â'i gilydd. Dynes fach, fer o gorff oedd y Dywysoges ac yn debyg iawn i'r Frenhines Victoria yn ei dyddiau cynnar. Adwaenai hi Jean de Reszke yn dda, ac yr oedd ef yn destun siarad diddorol, ac yn ddolen i gydio'r ddwy wrth ei gilydd.

Am gyfnod o ryw wyth mlynedd bu Leila Megane yn agor ac yn cau y cyngherddau hynny a elwir hyd heddiw yn 'Promenade Concerts', heblaw canu yn achlysurol yn ystod y gyfres. Canodd ynddynt i gychwyn dan arweinyddiaeth Frank Bridge ac yna Syr Henry Wood, y gŵr sydd â'i enw ynghlwm â'r 'Proms' oddi ar hynny. Cynhaliwyd hwy yr adeg dan sylw yn Neuadd y Frenhines. Yr oedd yno lwyfan delfrydol lle'r oedd Megane yn gartrefol iawn.

Hoffai weithio gyda Syr Henry Wood: 'roedd ei guriad mor gadarn-gyson fel y gallai ddibynnu'n llwyr arno. Bu droeon yn ei gartref yn ymarfer y darnau ymlaen llaw. Oedfaon difyr oedd y rhain. Dangosodd iddi ei grefftwaith mewn coed, ei brif ddiddordeb yn ei oriau hamdden, ac yr oedd yn ei afiaith yn egluro y cymal hwn yn asio dau ddarn o bren, a chymal o fath arall. Cymerai hithau arni ei bod yn deall, er mwyn bodloni'r chwiw greadigol yma o'i eiddo ym myd y prennau a'r morteisio. Bu'n meddwl lawer gwaith a oedd Syr Henry o'r un dras â'r crythwyr crwydrol hynny a alwai heibio Tŷ'r Polîs ym Mhwllheli ers talwm. 'Woods' oedd enw'r teulu hwnnw, ac yr oeddynt yn llawn o rithm y cerddorion gwir.

Cyngherddau bywiog oedd y 'Proms', a noson fawr oedd honno pan ymwelai'r Teulu Brenhinol â'r Neuadd. Edrychai'r Frenhines Mari mor urddasol bob amser, ac fel y disgleiriai ei pherlau dan y goleuadau llachar!

Ar wahân i hyn bu Leila Megane yn perfformio'n aml yn y Neuadd hon. Ar yr un rhaglen un noson canai Côr Merched Madam Clara Novello Davies, mam yr enwog Ivor Novello. Edrychai'r merched yn hudolus yn eu gwisgoedd cenedlaethol Cymreig. Dro arall a hithau'n canu yno 'roedd y cyfansoddwr dawnus o Ffinland, Sibelius, yn arwain ei bedwaredd Simffoni. Ar donnau ei fiwsig medrai ef hudo'r darluniau tlysaf i len y meddwl, ac yn ei dadansoddiad o eiriau Goethe ac eraill medrai hithau ddod â gwae a gwynfyd bywyd yn fyw iawn i'r gwrandawyr.

Yr oedd yn chwith iawn ganddi glywed am ddinistrio Neuadd y Frenhines yn ystod rhaib y Rhyfel diwethaf. Chwalwyd yr hen Philharmonic yn Lerpwl hefyd, adeilad gydag acwsteg berffaith. 'Roedd y neuaddau eang a gwych hyn yn llawn atgofion iddi hi.

PENNOD 18

I America a Byd y Fodrwy

Cyn inni drafod ymweliad Leila Megane ag America rhaid sôn ychydig am y cefndir—Byd y Fodrwy, oherwydd bod cysylltiad agos rhyngddynt.

Hi oedd y gantores wadd yn Eisteddfod Fawreddog Pentrefoelas yn 1922, wedi ei llogi gan y Pwyllgor i ganu cân y cadeirio, neu'n hytrach, ganeuon y cadeirio, am y tâl syfrdanol o hanner canpunt! Fel y digwyddodd pistyllai'r glaw i lawr ddydd y cadeirio nes troi'r maes yn llyn o fwd, ond er gwaethaf hyn nid oedd drai ar y cystadlu, a thyrrai'r bobl yno wrth y cannoedd.

Aethpwyd â cherbyd i gyrchu'r gantores fyd-enwog o Westy'r Foelas, ond aeth hwnnw yn sownd yn y llaid cyn cyrraedd y babell, ac nid oedd symud arno. Gwaeddodd rhywun,"Mynnwch nifer o ddynion cryf, ac mi'i cariwn hi, myn diawl!" Ac felly y bu. Er gwaethaf yr elfennau, llwyddodd i ymddangos ar y llwyfan, fel Brenhines Sheba, ac fe ganodd gyda chymaint o angerdd ac eneiniad nes swyngyfareddu'r dyrfa fawr, a boddi sŵn y glaw yn curo'r to. Fel y dywedodd G. Peleg Williams, y cerddor o Gaernarfon, mewn sgwrs radio, "Ni chlywais gynt na wedyn lais tebyg. Yr oedd holl odidowgrwydd Tetrazzini, Melba, Clara Butt a Kathleen Ferrier yn cyd-grynhoi yn llais Leila Megane. Llais oedd hwn a wefreiddiai bawb, nes teimlem iasau yn cerdded i lawr ein cefnau. Prin iawn yw lleisiau o'r fath heddiw, gan fod cantorion yn cael eu cyflyru i'r meicroffon. Buasai Leila Megane wedi torri meicroffon yn chwilfriw. Afraid yw dweud i'r gynulleidfa fynd yn wallgof ulw wedi'r fath ganu, a bu rhaid iddi ganu 'Dafydd y Garreg Wen' gryn bedair gwaith, a gallaf ei chlywed y funud hon yn dal ar y geiriau 'Dafydd tyrd adref' yn yr ail bennill, gan ei ddechrau yn *pp, pianissimo,* a graddol gryfhau nes cyrraedd *ff, fortissimo,* a thrachefn ei raddoli'n ôl i *pianissimo*—gwarchod pawb, daliad o hanner munud bron—ar un anadl!" Sonnir am yr Eisteddfod hon byth wedyn fel Eisteddfod Leila Megane.

Yn Ysbyty Ifan gerllaw yr oedd cartref Osborne Roberts. Gwahoddodd ef hi yno a dangos iddi ei waith cerddorol diwethaf, 'Y Nefoedd', a dyma ddechrau cyfeillgarwch rhwng y ddau a ddatblygodd ymhen amser yn serch dwfn ac arhosol. Rhoes iddi gopi llawysgrif o'r gân, a chanodd hithau hi ar lwyfannau pwysig ac i wrandawyr o fri.

Aeth Gŵyl Pentrefoelas heibio, a dychwelodd Leila Megane i'w bywyd prysur. Ond yr oedd Ciwpid wedi trywanu ei chalon yn sicr y tro hwn. Methiant fuasai ei holl anelu ar hyd y blynyddoedd, er iddo dreio'n ddyfal. Bu llawer llanc a grymus ŵr yn daer a thanbaid am ei llaw droeon, ond mynnai hi eu siomi o hyd. Dywedodd rhai o'i ffrindiau gorau wrthi ei bod yn ynfyd i wrthod cynnig ambell i drwbadŵr cyfoethog a allasai roddi bywyd da a helaethwych beunydd iddi. Pwy a ŵyr faint o galonnau a dorrwyd yn chwilfriw oherwydd iddi droi clust fyddar i'w deisyfiadau? Cadwodd nifer fawr o'r llythyron a dderbyniodd, ac anogai amryw o gyfeillion hi i'w cyhoeddi oherwydd bod rhai ohonynt yn llenyddiaeth aruchel. Fodd bynnag Osborne Roberts a enillodd ei serch. Bob tro y deuai hi drosodd i Lundain o Baris, yr oedd ef yno i'w chroesawu. Arhosai ef yr adegau hyn gyda'r Cyrnol a Mrs. Storr,—cofiwn i Megane adnabod y Cyrnol yn nhŷ'r Oliveriaid.

'Roedd Mr. Otto Khan, un o gyfarwyddwyr Tŷ Opera Efrog Newydd, ac un o economyddion mwyaf America, wedi ei chlywed yn canu ym Mharis, a threfnodd gyfres o gyngherddau iddi yn Efrog Newydd. Ac yr oedd hi'n barod iawn i fentro yno. Darparodd y Cyrnol a Mrs. Storr ginio ffarwel iddi yn eu cartref. Gwahoddwyd i'r wledd Dr. a Mrs. Thomas Jones, o Swyddfa'r Cabinet, y Canon a Mrs. Storr, Eglwys Westminster, ac Osborne Roberts. Dangoswyd i'r cwmni gwpan serch arian arbennig iawn, wedi ei gyflwyno i Nelson ar ôl un o'i fuddugoliaethau morwrol gan Arglwyddes Hamilton, ag enwau'r ddau garwr wedi eu hargraffu arno. Tywalltwyd siampên iddo, a gofynnwyd i Megane ac Osborne gyd-ddrachtio ohono. Eiliad mewn amser ond un mor oludog!

Deallwyd cyn darfod y wledd mai mynd ar y daith bell ar ei

110

phen ei hun yr oedd Megane, ond ni fynnai'r gwahoddedigion mo hynny a threfnwyd, er byrred yr amser, i Osborne fynd gyda hi yn gwmni.

Hwyliai'r llong, y 'Cedric', o Lerpwl ym mis Mawrth 1924 ac yr oedd amryw o Gymry arni, gan gynnwys Mrs. Peter Hughes-Griffiths, gwraig gweinidog Capel Cymraeg Charing Cross, Llundain. Pan oedd y llong yn gadael yr harbwr, gwaeddodd un o'r ffrindiau a ddaeth yno, "Canwch Hen Wlad fy Nhadau inni Megane," ac yno a'r dec yn llwyfan, a sŵn llyfiad y môr ar ochrau'r llong, clywyd nodau gwladgarol anthem genedlaethol Cymru yn atsain fel clychau arian. Safodd pawb yn fud. Tynnodd gweithwyr y doc eu capiau a gwrando. Cyflymodd y 'Cedric' allan i Fôr Iwerydd, a mynd â'r gantores gyda'i llais i wefreiddio pobl Efrog Newydd.

Gan ei bod hi'n teithio yn y dosbarth cyntaf, teimlai'n ddigon unig ar y fordaith, a chafodd ddigon o amser i synfyfyrio. Er ei bod hi yn awr wedi ei dyweddïo, ni allai beidio â darllen drosodd a thrachefn y llythyr diweddaraf a dderbyniasai oddi wrth Jean de Reszke ar ôl gyrru'r newydd iddo o'i phenderfyniad i newid byd: "Os yw'r galon wedi llefaru rhaid derbyn ei gorchymyn, ac y mae gennyf bob ymddiriedaeth yn eich dewis. Bydd priodas yn faen tramgwydd i'ch datblygiad fel cantores mwy, oherwydd ni ellwch gysegru eich bywyd yn gyfan gwbl i'r gelfyddyd . . ." Dyna eiriau de Reszke.

Trefnwyd iddi aros yng ngwesty'r Waldorf Astoria, ac yna i ymddangos yn Neuadd yr Aeolian ar Fawrth 10fed, 1924. Bu wrthi'n ddiwyd yn ymarfer amrywiaeth o ganeuon mewn gwahanol ieithoedd, canys yr oedd yn awyddus i wneud argraff dda ar yr Americanwyr. Daliai mewn cof hefyd ei bod yn ymddangos yn awr o flaen cymysgedd o genhedloedd, peth na wnaethai erioed o'r blaen. Nid oedd yma hen deithi gwareiddiad, na hen draddodiadau. Mewn gwirionedd canai i fyd newydd.

Ar y noson fawr gyntaf, llwyddodd i swyno'r gynulleidfa'n llwyr â'i llais cyfoethog a'i phersonoliaeth hardd. Ac yr oedd Otto Khan yn ei ogoniant, canys efe oedd prif symbylydd y fenter i'w chael hi drosodd o Ewrop yn y lle cyntaf. Yr oedd y neuadd fawr yn orlawn, ac yn ôl y disgwyl yr oedd lliaws o hufen cymdeithas aristocrataidd Efrog Newydd wedi dod ynghyd. Yn eu plith yr oedd Mrs. Tyng, chwaer Miss Marion Kemp, Duges Richelieu, Mr. a Mrs. Hoskiers, Mrs. Cobina Wright, Mr a Mrs. Pierpoint Morgan, a llawer eraill y gwyddai Megane amdanynt.

Trannoeth 'roedd y papurau yn gynnes eu cymeradwyaeth. Yr oedd yr hyn a ysgrifennodd hyd yn oed y beirniad llymaf yn ymddangos fel cymeradwyaeth i'r gantores.

Gwahoddwyd hi ac Osborne Roberts i gartrefi moethus y bobl fawr hwnt ac yma. Yr oedd ffawd fel pe'n pentyrru ei gwenau arnynt. Gwibiai pob diwrnod heibio fel chwedl, ac yng nghwmni ei gilydd 'roedd y chwedl yn un hapus iawn.

Penderfynodd y ddau briodi yno yn ninas Efrog Newydd. Ni fynnent ond gwasanaeth syml a distaw mewn capel Cymraeg. Y Parchedig Dr. Evans oedd yn gweinyddu, Mrs. Peter Hughes-Griffiths yn cyflwyno'r briodferch, Miss Olwen Evans (nith i Mrs. Lloyd George) yn forwyn, a Mrs. Cobina Wright a'i merch fechan i gwblhau'r cwmni.

Sôn am briodas ddistaw! Ar yr unfed ar hugain o fis Mawrth 1924 'roedd y capel yn llawn, a gwŷr y wasg yno gyda'u camerâu fel pla o locustiaid. Aeth y newydd ar y pellebr i bapurau Prydain a Ffrainc, dyna, er eu syndod mawr, a wynebodd berthnasau a chydnabod ar frecwast y bore wedyn,—*Leila Megane* wedi mynd yn Mrs. Osborne Roberts! Derbyniwyd y newydd syfrdanol hwn gan ei theulu hi a lliaws o'i chyfeillion gyda theimladau cymysg.

Fodd bynnag 'roedd y croeso a'r caredigrwydd a gafodd y ddau tu hwnt i'r Iwerydd yn rhyfeddol. Bu'r Hoskieriaid a'r Otto Khaniaid yn arbennig o gynhesol tuag atynt, a threuliasant oriau difyr yn eu cwmni.

Buont yn Jersey Newydd droeon ar ymweliad â chartref Mr. a Mrs. Hoskier. Yn ystod pob pryd bwyd yno sylwasant fod y bwrdd wedi ei osod i un person ychwanegol, a phob tro y newidiai'r gwas y platiau, nid anghofiai newid llestri'r lle gwag yr un modd. Yr oedd hyn yn destun penbleth i'r pâr ifanc, tan yr eglurodd Mrs. Hoskier y dryswch: "Mi f'asai Hope," meddai, "yn mwynhau bod yma gyda ni, ac mi wn ei bod yn yr ysbryd." Yr oedd Hope Harjes yn uchel iawn yn ffafr a serch yr Hoskieriaid a bu ei marwolaeth ddisyfyd yn groes drom iddynt. Fe'i carent mor angerddol â phe buasai'n ferch iddynt, a theimlent ryw atyniad greddfol tuag at Megane oherwydd i'r ddwy fod gymaint o ffrindiau. A meddyliai hithau, "Beth fuasai Hope yn ei feddwl ohonof yn dewis Osborne yn ŵr ac wedi gwrthod cynifer o gynigion?" Gwyddai hi fwy na neb un am ramantau'r gorffennol.

Ie, pobl ar eu pen eu hunain oedd yr Hoskieriaid. Yr oedd y gŵr yn ysgolhaig disglair, a chafodd ei apwyntio gan Mr. Pierpoint Morgan i gasglu hen, hen lawysgrifau mewn un llyfrgell ganolog. Ar y pryd yr oedd wrthi'n cyfieithu hen lawysgrifau o'r Efengyl yn ôl Marc a ddaethai i'r golwg yn yr Aifft. Cawsai ganiatâd i ymweld â'r Amgueddfa fawr yn Efrog Newydd, lle diogelid y gwreiddiol, a thynnu darlun o rai modfeddi ohono bob dydd. Cedwid hi yn rhwym wrth gadwyn, a than wyliadwriaeth gyson.

Roedd Megane am flynyddoedd wedi trysori cyfarchion Nadolig go nodedig a dderbyniasai oddi wrth y cyfeillion hyn, gyda'r geiriau, 'Dyro inni Frenin Nef, y doniau da, er na weddïom amdanynt, a chadw ni rhag y drwg y gweddïom amdano'.

Cyd-ddigwyddiad rhyfedd oedd i Capten Seaborne Davies o Bwllheli lanio gyda'i long yn Efrog Newydd yr adeg hon. Synnodd Leila Megane ei weld yn bresennol yn ei phriodas, a theimlai'n hapus iawn o hyn. Yn ddiweddarach gwahoddwyd hi a'i gŵr i'w long, a chawsant groeso tywysogaidd ganddo.

Buont yn America am ddau fis o amser. Yr oedd Mr. Otto Khan wedi amcangyfri y byddai'r gost o leiaf yn wyth gan punt, ond yn y pen draw cododd i dros fil a dau gan punt. Serch hynny, ni chwynai'r Americanwyr o gwbl. Yn hytrach roeddynt yn awyddus iawn i'r gantores ddychwelyd yn fuan, ac arwyddodd hithau gytundeb i wneud hynny yn yr hydref. Mewn gwirionedd y cynllun oedd dod yn ôl i Efrog Newydd a chychwyn oddi yno ar daith gerddorol i barhau am dair blynedd. Dangosai'r ymddiriedaeth hon iddi ennill clod uchel yno, ac edrychai hi ymlaen yn eiddgar at ei hymrwymiad newydd.

Fel seren yn ei byd, yr oedd yn ofynnol iddi ymlaen llaw i baratoi rhaglen o'i gwahanol ymrwymiadau. Gohiriwyd pob cyngerdd er mwyn iddi fod yn rhydd i gyflawni'r daith gerddorol hon. Eithr bu tipyn o wae a gofid. Gyda threigliad y misoedd sylweddolwyd bod y dirwasgiad byd-eang wedi gafael yn drwm yn America, a'i grafangau'n lledu ac yn turio'n ddyfnach a dyfnach. Poenai ei chynghorydd, Mr. Lionel Powell, yn arw am hyn. Gwaethygai'r sefyllfa beunydd, a theimlai ef ei bod yn ormod o fenter mynd i Efrog Newydd a'r amgylchiadau mor gyfyng yno. Ac nid oedd gobaith y codai'r ddoler o'i gwendid yn fuan. Felly, er siomiant i lawer, rhoddwyd y syniad o'r neilltu, a chwalu'r ymrwymiad.

Fel y gellid disgwyl, achosodd hyn gryn golled ariannol i Leila Megane, canys yr oedd bellach wedi tynnu ei henw yn ôl o gyngherddau'r wlad hon. Nid oedd dim i'w wneud ond bodloni a dal i frwydro ymlaen. A sylweddolodd yn fwy nag erioed mai tegan ar fwrdd chwarae y duwiau ydoedd, a bod ei thalent yn cael ei lywodraethu gan fympwy ac anwadalwch dyn.

PENNOD 19

Eisteddfota a Diddanu'r De

Gwahoddwyd Leila Megane ac osborne Roberts i'r Gyngres Geltaidd yn Nulyn ddiwedd Mehefin dechrau Gorffennaf 1925 gan Mr. E. T. John (Llanelidan, Môn), Cadeirydd y Gyngres. Buont yn westeion yn ei blasty hardd ar lannau Menai, a sylweddolai ef fel yr oedd cwmni'r ddeuddyn hyn yn cyfoethogi'r gymdeithas ar gychwyn ei thwf.

Cawsant amser bendigedig yn Nulyn, yr awyrgylch yn gydnaws, a chwmni hen gyfeillion wrth fodd eu calon. Cynrychiolid yr Alban yno, Ynys Manaw, Cernyw a Llydaw, ac ymysg y Cymry 'roedd Syr John Morris-Jones, Ambrose Bebb, W. J. Gruffydd, E. Morgan Humphreys, Dr. D. Vaughan Thomas, a J. Lloyd-Jones o Brifysgol Dulyn. Ymunodd W. B. Yeats, y bardd Gwyddelig, â hwy, a chyn diwedd yr wythnos daeth Mr. Eamon De Valera ei hun at y cwmni.

Gofynnwyd i Megane ganu mewn cyngerdd yn un o neuaddau mawr y ddinas. Achosodd ei chân encôr dipyn o broblem, canys yr oedd yn awyddus i ganu alaw Saesneg. Ni fynnai'r Gwyddelod gwlatgar, pybyr wrando arni, a bu protestio croch, ond concrodd hi'r anhawster, ac ar eiliad ddistaw cyhoeddodd, ''Os caf, hoffwn ganu i chwi gerdd i gofio'r Gwyddel, O'Reilly, gŵr hawddgar a llawen, a gŵr a oedd yn annwyl gan bawb. Pa le bynnag y crwydrai 'roedd dyn yn teimlo bod yno ddarn o Iwerddon.'' Canodd hithau'r alaw a chafodd gymeradwyaeth ddi-ail, a'r protestwyr yn curo dwylo'n fwy na neb!

Yn ystod y Gyngres, arhosai hi a'i gŵr gyda Dr. a Mrs. Cassidy, Pabyddion selog ill dau, ond yr oedd Megane yn hen gyfarwydd â'r enwad yma, wedi troi am flynyddoedd yn eu plith yn Ffrainc a'r Eidal. Pobl garedig iawn oedd y pâr hwn, y ddau a'u traed yn gadarn ar y ddaear. Yr oedd sôn mawr am glyfrwch Dr. Cassidy fel llawfeddyg, ac ef oedd pennaeth yr Ysbyty Mamaeth yn Coombe. Er ei fod yn ddyn cydnerth ac yn

115

fawr o faintioli, gallai fod mor dyner ag angel. Ni chollai wasanaeth boreol yn ei eglwys, lle ymbiliai am fendith Duw a'r Forwyn Fair ar ei ddwylo. Yn ei ysbyty ef yng nghyflawnder yr amser y ganwyd merch fach i Leila Megane, Isaura.

Yn ystod y misoedd hyn yr oedd Pwllheli yn llawn bwrlwm gwaith yn trefnu i groesawu Eisteddfod Genedlaethol 1925 i'r dref. Yr oedd adeiladu'r Pafiliwn mawr ar waith yn y caeau cyfochrog â Ffordd Caerdydd, sy'n arwain i lan y môr, a mawr yr edrych ymlaen a'r disgwyl am fis Awst.

Yn naturiol iawn, sicrhawyd gwasanaeth cantores enwocaf y wlad a'r dydd, y ferch o dref Pwllheli ei hun, i ganu yno. Erbyn hyn yr oedd hi a'i phriod wedi prynu eu cartref cyntaf, ac wedi ymgartrefu'n y 'Garreg Wen' yn nhref Caernarfon.

Bu'r flwyddyn hon yn garreg filltir yn hanes yr Eisteddfod. Dyma'r tro cyntaf i lwyfannu seremoni'r Cymry ar Wasgar, a 'Llew Tegid' wedi ysgrifennu'r geiriau i 'Gymru Annwyl, Cymru Hardd':

> Gwlad y Gân ydyw hi,
> Gwlad y llenor, gwlad y bardd,
> Gwlad a'i chyfoeth yn ei hanes,
> Gymru annwyl, Gymru hardd.

Gofynnwyd i Osborne Roberts gyfansoddi'r gerddoriaeth ac i Leila Megane ei chanu. Gwnaeth y trefniant hwn y seremoni yn fyth gofiadwy.

Yn un o'r cyngherddau canodd Megane yr aria 'Mon Coeur' (Saint-Saëns), gyda'r gerddorfa dan arweiniad Osborne Roberts. Mynnodd bonheddwr o'r gynulleidfa aros ar ei draed trwy gydol y perfformiad, a throi clust-fyddar i wrthdystio poeth y gwrandawyr o'i gwmpas. Ffrancwr ydoedd, ac meddai'n ddigywilydd, "Mae'n rhaid imi sefyll tra mae artist fel hon yn talu'r fath wrogaeth i'm gwlad mewn gŵyl fawreddog fel hon." A thawodd pob tafod o brotest.

Anrhydeddwyd yr Eisteddfod yn ail ran y cyngerdd arbennig hwn gan bresenoldeb y Frenhines Mari o Riwmania. Cymerasai ei modryb o'i blaen ddiddordeb mawr yn yr ŵyl, ac fel teyrnged iddi anrhydeddwyd hi â'r enw barddol 'Carmen Sylva' gan Orsedd y Beirdd ym Mangor ym 1890.

Cyflwynwyd y Frenhines Mari i'r dyrfa gan Mr. R. M. Greaves, y Wern, ger Porthmadog, a chafodd groeso twymgalon. Edrychai ei Mawrhydi yn urddasol odiaeth, ac wedi llefaru'n fyr mewn Saesneg, swynodd bawb wrth frawddegu ychydig mewn Cymraeg i orffen. Yr oedd brwdfrydedd y gymeradwyaeth am hyn yn ddigon i hollti to'r Pafiliwn.

Er i Leila Megane ganu i'r Frenhines ar y cyfandir, yr oedd teulu'r Wern yn daer am ei chael yn ganolbwynt i noson gerdd yr arfaethid ei chynnal yn neuadd y Plas. Yno yr arhosai'r Frenhines, ac yr oeddynt am ddathlu'r amgylchiad yn anrhydeddus.

Oherwydd ei phrofiad mewn trefnu adloniant o'r fath, rhoes Megane help llaw i Mrs. Greaves gyda'r paratoadau. Rhoddai ehangder yr ystafell gyfle delfrydol i noson o gân, a gwahoddwyd felly nifer sylweddol o wŷr a gwragedd enwog Gwynedd a Phowys yno. Ymhlith yr artistiaid oedd Nansi Richards, y delynores, ac Osborne Roberts wrth y piano. Leila Megane oedd yr unig ddatgeiniad. Cafwyd noson hyfryd, a rhoddwyd yr elw tuag at brynu offer pelydr-X i Ysbyty Porthmadog.

O'i chartref yng Nghaernarfon teithiodd Leila Megane i gyngherddau ar hyd a lled y wlad. Gofynnwyd am ei gwasanaeth er hyrwyddo gwahanol fudiadau a chymdeithasau, a chadwyd hi'n brysur iawn, er nid bob amser ar ei hennill yn ariannol. Bu chwerw'r dadrithio droeon, a mawr ei chwithdod o ganfod aml Sheiloc yn llechu yng nghilfachau anghysbell Cymru fach. Ond ni fradychai ei gwên hawddgar yr hyn a dreisiai ei hysbryd. Canodd a'i henaid yn y gân.

Canai yn rheolaidd gyda'r Gorfforaeth Ddarlledu Brydeinig yn ei gorsafoedd yn Llundain, Manceinion a Chaerdydd. Nid oedd gwmwd yng Nghymru na dinas yn Lloegr na wyddai am enw Leila Megane. Mae ei recordiau ar gael o hyd mewn rhai cartrefi ar hyd a lled y wlad, yn cynnwys rhai o'i chaneuon fel: 'Y Nefoedd', 'Dafydd y Garreg Wen', 'Y Bwthyn Bach To Gwellt', 'Pistyll y Llan', 'Cymru Annwyl', 'Ar Hyd y Nos', 'My Little Welsh Home', 'Agnus Dei', 'He Shall Feed His Flock', 'Sabbath Morning At Sea', 'The Swimmer', 'Land of Hope and Glory',

'A Summer Night', 'When I Am Laid In Earth', 'Rest in the Lord', 'Ballade De Jeanette', 'Isabel', 'Twas in The Merry Month of May', 'Twilight Fancies', 'Sweet Venevil', 'Les Larmes'.

Profodd Leila Megane danbeidrwydd croeso trigolion y De yn Eisteddfod Genedlaethol Abertawe yn 1926. Addawodd ymddangos yn y cyngerdd diwethaf ar nos Sadwrn, gyda'r ddau ddatgeiniad arall, Edith Furmedge a Joseph Hislop, ond oherwydd iddi fod yn wan ei hiechyd am gyfnod cyn hyn, teimlai braidd yn ofnus i gamu i'r llwyfan eang, a thyrfa o un fil ar hugain yn disgwyl clywed y llais y bu cymaint clodfori arno. Eithr unwaith y llifodd y môr wynebau o flaen ei llygaid, ffrydiodd cynghorion de Reszke i'w meddwl a daeth ei hen hyder yn ôl. Canodd mor wefreiddiol ag erioed. Yr oedd y gwrandawyr mewn perlewyg, a theimlodd hithau gynhesrwydd arbennig iawn yn y gymeradwyaeth ddiffuant a dderbyniodd. Fe'i llanwyd â hapusrwydd mawr, ac yn nwfn ei hymwybod gwyddai fod ei chyd-genedl yn y De a'r Gogledd yn meddwl y byd o'i dawn. Cyflwynwyd ysgubellau heirdd o flodau iddi gan Miss Enid Thomas o Gaernarfon, a Miss Margaret Lindsay Williams, yr arlunydd enwog o Lundain, ac yr oedd y papurau'n haelfrydig eu canmoliaeth iddi, ac i gyfeilio deallus a synhwyrus ei phriod, Osborne Roberts. Ni chafodd y beirniaid craffaf fefl na gwall ar ei dehongli, ac ar yr un llinell y rhedai eu clodforedd,—cyfoeth a swyn y llais, melodedd pur a theimladwy, geirio crisialaidd, llais fel Melba, wedi cyrraedd eithafbwynt celfyddyd canu gorau Ewrop.

Gartref yn y Garreg Wen, Caernarfon, yr oedd ei baban pedwar mis oed yng ngofal medrus ei nyrs, Miss Underwood. Trwy gymorth galluog hon, medrodd Megane barhau i roi o'i gwasanaeth a'i thalent i'r cyhoedd am flynyddoedd wedyn, ac yn ystod ei theithiau pell nid oedd eisiau poeni am fagwraeth y plentyn tra oedd 'Nanni' wrth y llyw.

Gwnaeth hi ac Osborne Roberts waith clodwiw yng nghymoedd glofaol De Cymru dan nawdd Cyngor Cenedlaethol Cymru, hynny dan drefniant Mr. J. O. Jones. Daethant wyneb yn wyneb â chyni'r dirwasgiad yng nghyfnod ei anterth, ac ar ôl troi am flynyddoedd yng nghylchoedd

aristocrataidd Lloegr a Chyfandir Ewrop ac America bu'n
agoriad llygaid i Megane weld caledi a chreulondeb tlodi.
Gwelodd agwedd ar fywyd yn ei foelni, ei hylltra, a'i
ddibristod, ac ar ôl cyfnod hir o symud o oleuni i oleuni, a
nofio mewn moroedd lliwgar, yr oedd mynd a dod yng nghanol
y llwydni a'r prudd-der yma yn brofiad calonrwygol iddi. Wrth
iddi hi ac Osborne geisio gwasgar cysur a golau byd y gân,
teimlent fel yr oedd anobaith a chancr y cyni yn codi
gwrthglawdd, a gwelsant yn aml fel yr oedd chwerwder yn
disodli hyd yn oed hapusrwydd cynhenid aml Shoni a Dai, ac
fel yr oedd ffydd yng ngrym daioni yn dadfeilio, ym mhob
siarad a dadlau, Lenin a Karl Marx oedd gwaredwyr eu byd,
ac yr oedd yn amlwg iawn fod hadau comiwnyddiaeth yn cael
daear dda yn eu plith i egino. Ond oddi tan y croen gwyddent
fod calon y coliar yn y lle iawn, a bu'r amser a dreuliwyd
ganddynt ymhlith y gymdeithas arbennig hon yn brofiad
diangof.

Yr oedd y croeso'n wresog a didwyll. Rhennid y lletygarwch
drwy'r gymdogaeth. Prin oedd dimeiau'r dôl i brynu hyd yn
oed yr angenrheidiau beunyddiol, a hawdd darllen ar wynebau
llawer o'r dynion ystori drist am

gardod yn magu craith,
a'r graith yn magu nychdod.

Nid rhyfedd fod yr awyrgylch yn drwm a digalon, y gwragedd
yn edrych yn hen cyn eu hamser, a hyd yn oed y plant yn
amddifad o'r wreichionen sy'n gwneud bywyd yn hwyl ac yn
haleliwia. A'r siopau wedyn, yr oedd gweld y rhai hyn yn
clwyfo Megane,—y nwyddau'n brin ynddynt, er y gwyddai nas
dichon silffoedd llawn a phwrs pob un cwsmer mor denau.

'Roedd llawer math o adloniant wedi ei drefnu'n barod i'r
di-waith. Ffurfiwyd canolfannau i ddysgu iddynt grefftau
amrywiol a buddiol, ac o weithdy i weithdy, o neuadd i glwb ac
i hofel, aeth y ddau gerddor i weld y gwŷr wrth eu gwaith.
Cafwyd seiadau diddorol, a hwyl Gymreig go iawn, oblegid un
dda am sgwrs oedd Megane, ac yr oedd Osborne yn ei afiaith.
Fe'u syfrdanwyd gan ddyfnder a thrylwyredd gwybodaeth
ambell un o'r glowyr o bynciau astrus, ac nid oeddynt ar ôl ym

myd hanes a chelfyddyd y gân ychwaith, a'r operâu clasurol a'r perfformwyr a chyfansoddwyr y miwsig a'r libreto weithiau ar flaenau bysedd ambell un. Nid y ceiliogod a lefarai a dadlau grochaf mohonynt, ond y bechgyn distaw a ymdrechai i'w diwyllio eu hunain drwy fynychu'r llyfrgell a manteisio ar y dosbarthiadau nos.

Cyflwynwyd i Leila Megane ddarn o grochenwaith wedi ei wneud gan hogyn ysgol. Ffigur ydoedd o henwr yn eistedd ar fainc, gyda'i gi wrth ei ochr. Pwysai'r hen bererin ar ei ffon a'i olygon megis yn tremio i'r pellteroedd. Yr oedd y darn hwn yn ei symlrwydd amatur yn bortread o anobaith blin y cymoedd, a'r hyn a aeth fel saeth drwy ei meddwl hi oedd, "Mae'n rhaid fod y diflastod a'r digalondid yn boenus o real i'w amlygu ei hunan yn nawn greadigol plentyn."

Eto yng nghanol holl bwysau'r tlodi a'r ansicrwydd, teimlai'r glowyr atyniad mawr tuag at gerddoriaeth, yn enwedig ganu corawl. Aent yn gyson i ymarfer a dysgu meistroli'r campweithiau. Fel y dywedodd un ohonynt wrth Megane, "Cerddoriaeth sy'n ein cadw rhag mynd yn wallgof!"

Cynhaliwyd nifer o gyngherddau yma ac acw, ac yr oedd y derbyniad yn drydanol. Er mai gwraig o'r Gogledd oedd hi, cyfaddefai Leila Megane iddi deimlo dyfnach angerdd yma nag ym mro ei geni. Teimlai rywsut fod mwy o agosatrwydd yn y gynulleidfa, a'u bod yn taro rhyw gord yn ei henaid nas profodd erioed o'r blaen. Daeth iddi o'r newydd yr ymwybyddiaeth fod rhyw bŵer rhyfedd yn ei chelfyddyd yn cyffwrdd calonnau'r bobl anffodus hyn, a theimlai'n hapusach,—hapusrwydd cyfriniol—na phan gawsai foliant y miloedd yng nghanol rhwysg a mawredd Paris a Llundain. Mae'n wir fod pobloedd y Rhondda a'r trefydd cyfagos a ddeuai i'w chlywed yn llwm a llwyd eu diwyg, ond ba waeth, mêl i'w chalon oedd gweld yr wynebau gwelw yn goleuo gan fwyniant pur wrth wrando ar ganu'r clasuron. Fel y dywedodd un o'r dynion ar ddiwedd un oedfa, "Mae Madam Megane wedi fy nghodi i o'r ddaear i'r nefoedd y prynhawn yma."

Eglurhad Megane bob amser ar effaith ryfeddol ei chanu ar ei gwrandawyr oedd mai cyfrwng ydoedd yn cael ei ddefnyddio i gyrraedd calonnau pobl. Ac yn yr argyfwng a grafangai am ddiwydiant y De ar y pryd teimlai'n berffaith sicr ei bod yn offeryn yn llaw Duw i leddfu'r dioddef mawr yng nghymoedd y dirwasgiad.

PENNOD 20

Balm y Gân

Cyn ffarwelio â broydd De Cymru penderfynodd Megane ac
Osborne Roberts alw i ymweld â'r cerddor enwog o Ferthyr
Tudful, Tom Price. Ni welsai'r un o'r ddau mohono er yr
Eisteddfod honno ym Miwmaris yn 1910, pan oedd ef ac
Osborne Roberts yn cydfeirniadu yno. A da y cofiai Megane
mor chwerw y teimlai hi fel cystadleuydd dibrofiad oherwydd
mai'r ieuengaf o'r ddau, sef Osborne Roberts, a gododd i
draddodi'r feirniadaeth arni, a hithau wedi gobeithio cael barn
aeddfetach Tom Price! Hawdd oedd chwerthin yn hapus wrth
dremio'n ôl dros ysgwydd y blynyddoedd. Yr oedd pethau
mawr wedi digwydd yn y cyfamser, pob un ohonynt un
mlynedd ar bymtheg yn hŷn, a'r gwahanol brofiadau a gawsent
wedi tyfu'n rhan ohonynt.

Edrychai Tom Price yn llesg, a baich ei flynyddoedd yn
gorffwys yn drwm ar ei war. Adnabu ei ddau ymwelydd ar
unwaith, a chofiai'r holl fanylion am Eisteddfod Biwmaris.
Coleddai ddiddordeb brwd ym myd y gân, a buasai'n dilyn
rhawd Megane yn eiddgar. A llonnai'r ddau wrth ganfod yr
hen dreiddgarwch ynddo, er gwaethaf blinder henoed.

Cyn iddynt ymadael erfyniodd am gael clywed 'Y Nefoedd'
ac ufuddhaodd Megane o wirfodd calon. Gwrandawodd
yntau'n astud a'i lygaid ynghau. "Diolch i chwi am awr o'r
nefoedd," meddai wrthynt wrth ffarwelio ar garreg y drws. Ac
wrth droi oddi wrtho a mynd i'w ffordd, meddai Megane wrth
ei chymar, "Yr hen greadur druan, mae o'n sefyll wrth ddrws
angau." Gwireddwyd hyn yn fuan iawn.

Gartref yng Nghaernarfon trefnwyd cyngerdd operatig dan
arweiniad Megane. Yr oedd hyn yn fenter newydd sbon, a
braidd yn uchelgeisiol hwyrach, ond gyda chymorth parod rhai
o drigolion brwdfrydig y dref, bu'r perfformiadau yn
llwyddiant. Yr oedd y diddordeb lleol yn heintus, fel y tystiai
gwerthiant rhag blaen y tocynnau. Mil o docynnau! Ac yr oedd

Leila Megane a'i gŵr Osborne Roberts

yr hen bafiliwn yn lle delfrydol i ddal y dyrfa fawr a ddaeth ynghyd i weld actio darnau o 'Werther', 'Orphée', 'Samson' a 'La Rôtisserie'.

Dyma'r unig dro i Leila Megane ymddangos mewn opera yng Nghymru. Wedi'r rhagbrawf yma yr oedd hi'n argyhoeddedig fod gan y Cymry gariad cynhenid tuag at yr opera, yn union fel sydd ganddynt at ganu a drama. A beth ydyw opera wedi'r cwbl ond drama ar gân?

Daliai hi i fynd i'r gwahanol gylchoedd i gynnal cyngherddau. Ni allai beidio â chymharu'r gwrandawiad a gafodd yn Rhosllanerchrugog â'r derbyniad yn Ne Cymru. Yr un oedd y sêl a'r brwdfrydedd, a'r un oedd y diffuantrwydd a dyfnder eu cymeradwyaeth. Hwyrach fod a wnelo'r cefndir diwydiannol rywbeth â'r croeso. Dywedai hi fod y profiad o ymddangos o flaen gwahanol gynulleidfaoedd yn rhoi i artist ryw fath o chweched synnwyr i ymdeimlo â'u deisyfiadau,—medru synhwyro'r awyrgylch. Ymfalchïai fod gwŷr beirnadol a dysgedig fel Mr. Wilfred Jones a Dr. Caradog Roberts ymhlith eu gwrandawyr yn y Rhos. Canodd i'r olaf yng ngwlad Belg, a bu ef yn hael iawn ei glod yn y wasg iddi y pryd hwnnw.

Daeth ystaen du i wybren y gantores yn y flwyddyn 1933. Bu farw ei mab bychan, Ianto, yn bedwar diwrnod oed, a chladdwyd ef ym mynwent Llanbeblig ger Caernarfon. Pwysai tristwch mawr ar ei hysbryd ar ôl hyn, a chynghorodd un o'i ffrindiau hi, Miss Haya Taylor, o Lerpwl, i gyflwyno rhaglen o ganu 'Lieder'. Almaenes oedd Miss Taylor, ac yn ferch i Count Von Sobbe. Buasai canu mewn Almaeneg yn uchelgais ers tro gan Megane, canys onid yr Almaen oedd crud rhai o'r cyfansoddwyr mwyaf? Er ei bod wedi canu cymaint mewn Ffrangeg ac Eidaleg, yr oedd hi wedi pasio o'r tu arall heibio rywsut i'r Almaeneg.

Gafaelodd yr her i feistroli'r 'Lieder' ynddi o ddifri, a'i chodi allan o'i phruddglwyf. Cyfarfu â Dr. Theodor Lierhammer o Vienna yn Llundain a bu ef hefyd yn chwythu'r fflam. Yr oedd ef yn feistr cydnabyddedig ar dechneg canu 'Lieder', a gwnaethai ei chyfeilles, Marion Kemp, astudiaeth fanwl hefyd o'r gwaith.

Felly ymegnïodd hi ynghyd â Miss Taylor i baratoi'r perfformiad. Cafwyd cymorth parod Almaenes arall, Vera Zedwitz, i ddysgu'r acenion estron. Deuai'r foneddiges hon o Awstria, a bu ei mam yn ddisgybl i Liszt. Trwythwyd hi'n drwyadl yn nhraddodiad y 'Lieder', a bu Megane a hithau wrthi lawer noson tan oriau mân y bore, Megane yn canu a hithau'n cyfeilio.

Penderfynwyd canolbwyntio ar waith y meistri, —Schumann, Brahms, Schubert a Wolf, gan ddysgu tair alaw gan bob un ohonynt. Ni chafodd Megane yr un anhawster gyda'r ynganu, a gwelodd mor ffodus mai Cymraes ydoedd i fedru meistroli'r acenion gyddfol, caled.

Daeth y noson iddi ymddangos yn neuadd y Blue Coat yn Lerpwl. Mis Tachwedd ydoedd, ond anghofiwyd annifyrrwch y tywydd gan y gynulleidfa yno, wrth glywed Leila Megane yn morio drwy ganeuon clasurol yr Almaen. Er cymorth i'r gwrandawyr, argraffwyd y rhaglenni, gyda'r geiriau mewn Almaeneg ar y naill dudalen a chyfieithiad Saesneg ar y llall.

Yn bresennol yno yr oedd rhai o gymheiriaid blaenllaw Hitler a'u gosgordd. Daeth y pennaf dyn i ddiolch i'r gantores ar y diwedd, gan ychwanegu fod yr arweinydd mawr ei hun yn hoffi miwsig o safon ac y byddai'n syniad da i drefnu cyngerdd ym Merlin, ac iddi hithau ddod trosodd i ganu. Rhoddai iddi wahoddiad answyddogol. Ond fel y carai Megane sôn ymhen blynyddoedd wedyn, "Ffolodd Hitler ar glywed ei lais ei hun yn crochweiddi ac aeth canu a miwsig clasur ei wlad i ganlyn y gwynt."

Ond bu'r perfformio hwnnw yn orchest wrth ei bodd. Cyflawnodd rywbeth yr oedd wedi dyheu am ei wneud ers amser hir. Teimlai ei bod wedi cyfannu cylch ei chanu clasur. Mae'n wir fod y beirniaid wedi ysgrifennu'n garedig amdani y tro hwn eto, ond ni phoenai am hynny. Yn bwysicach na dim yr oedd wedi ei bodloni ei hun, canys a hi bellach wedi croesi ei deugain oed, nid gwaith hawdd oedd dysgu'n drwyadl gampweithiau estron, a chanu cyfansoddiadau aruchel poetau'r Almaen o flaen tyrfa feirniadol.

Canfu yng nghwrs amser ac yn ei hymwneud â'r cyhoedd fel y dygai ei chanu foddhad esthetig i'r mwyafrif o'i gwrandawyr.

Derbyniodd brofion lawer o hyn. Cofiai'n dyner am yr hen wreigan fach dlawd honno ym Mharis a dorrodd gyfraith y theatr drwy daflu clwstwr o fioledau iddi i'r llwyfan. Yr oedd yr arferiad wedi ei rwystro oherwydd i un o'r datgeiniaid gael ei anafu'n ddamweiniol gyda'r weiren a oedd yn dal y blodau ond mentrodd hon herio llid yr awdurdodau i ddangos ecstasi ei hysbryd. Yr oedd cynulleidfa o Ffrancod yn llawer mwy emosiynol na chynulleidfa o Brydeinwyr, ac yn barod iawn i grïo, cofleidio ac anwesu. Parchent gelfyddyd ymhob maes.

Wrth fynd yn ôl i Ffrainc un tro derbyniodd Megane lythyr brys o Sir Fôn yn crefu arni i ymweld â gŵr claf iawn yno. Mae'n debyg mai ei ddymuniad olaf ef oedd cael ei chlywed hi'n canu. Er meithder y milltiroedd o Lundain, aeth yno heb betruso eiliad. Nid oedd yn ei natur i ymdroi a hir feddwl, ond yn hytrach gweithredu heb golli amser.

Wedi cyrraedd siop y pentre ym Môn nid nepell o gartre'r hen fachgen, gwnaeth ychydig o ymholiadau, a chafodd ar ddeall ei fod mewn cyflwr go ddrwg, a'r meddygon wedi anobeithio amdano. Nid oedd yn bwyta'r un briwsionyn ers dyddiau, a bodlonai'n unig ar lymaid o frandi yn ôl y galw. Prynodd hithau botelaid fawr o frandi yn ddiatreg, ac yn arfog felly, yn syth â hi i dŷ'r cystuddiol. Yr oedd popeth mor ddistaw â'r bedd yno. Dringodd y grisiau'n ofalus, a cherdded fel cath ar draws y landin i'r ystafell wely, a'r botel ddiod wedi ei lapio mewn siôl dan ei braich. Edrychai'r claf fel pe bai'n ffarwelio â'r byd hwn, a rhyw saith neu wyth o bobl yn sefyllian yn drist o'i gwmpas. Fel petai'n chwarae rhan mewn opera dynesodd Leila Megane at erchwyn y gwely. Agorodd y truan ddau lygad mawr a'u hoelio arni'n syn. Gosododd hithau'r parsel wrth ei ochr gan ddweud, "Yr wyf wedi dod â chwmni da i chwi. Potelaid o frandi! Yfwch o, ac mi wna les mawr i chwi." Er syndod annisgwyl i bawb a oedd yno, chwarddodd y claf yn hwyliog, nes oedd y dagrau yn llifo i lawr ei wyneb. Llaciodd tyndra'r awyrgylch yn ebrwydd. Canodd hithau ei ganeuon dewisol. Daeth gwrid ysgafn i'w ruddiau, ac yn sŵn y melodi syrthiodd i gysgu fel plentyn bychan wedi blino. Ffarweliodd hithau â'r teulu diolchgar a rhyw dangnefedd yn llanw'i hysbryd. Clybu er ei llawenydd yn ddiweddarach fod y gŵr wedi gwella ac o gwmpas ei bethau. Ni chroniclwyd pa un ai'r brandi ynteu'r canu a gyflawnodd y wyrth!

Pan oedd hi gartref am seibiant byr ym Mhwllheli unwaith, deallodd fod Mrs. Ann Hughes, y siop bysgod, yn bur wael. Cofiai amdani fel gwraig iach a chydnerth, ac fel dynes gadarn a diysgog ei barn, na chwenychai wên ac nad ofnai wg, ac yn dinoethi beth bynnag a oedd ar ei meddwl heb flewyn ar ei thafod. Tipyn o gymeriad, ond eto o dan yr allanolion gerwin a phigog fe gurai calon garedig a diffuant. Yr hen Ann Hughes yn wael ac yn orweddiog! Yr oedd yn anodd credu rywsut.

Penderfynodd Leila Megane a'i chwaer fynd i'w gweld, ac estyn solas iddi. Brawychodd y ddwy wrth weld yr hen ledi yno'n ddiymadferth, yn ddim ond cysgod o'r gawres a fuasai gynt. Yr oedd yr ynni wedi ffoi o'r gewynnau, a'r her a'r tân wedi cilio o'i llygaid. Gorweddai yn swp crynedig, a golwg ddieithr a llawn gwae a dychryn arni. Beth oedd wedi peri'r fath gyfnewidiad? Edrychai fel cenawes ofnus flin, a'r helgwn a'r helwyr yn barod i ruthro arni.

"O," meddai'n floesg a herciog. "Rwyf ar farw, wyddoch chi, 'does gen i ddim llawer i fynd eto, ac mae arnaf ofn . . . ofn . . ."

Ymbiliodd ar Megane i ganu, a chan dybio y siriolai yr hen wraig dipyn, isel ganodd, 'Y Bwthyn Bach To Gwellt'. Ysgydwodd yr hen greadures ei phen gan ddweud, "Na, Na, nid am honna mae pobl yn siarad!" Rhoes Megane gynnig ar 'Y Nefoedd', a gwelodd y claf yn araf ymlacio ac ymdawelu. Diflannodd y dychryn o'r llygaid a chwaraeai gwên ysgafn ar ei hwynepryd. Wedi i'r llais ddistewi meddai yn dawel, "Ie, ie, dyna hi, dyna'r gân." Ac yna yn null cynefin yr hen Ann Hughes ychwanegodd yn chwyrn, "Diolch! Ffwrdd â chi rŵan. Gall angau ddod pryd y mynno mwy!" Synfyfyriai Megane. Tybed a fedrai ei llais ladd ofnau marw a'r bedd?

Sylwasai bob tro y canai'r 'Nefoedd' fel yr ymledai rhyw dangnefedd cyfriniol dros ei gwrandawyr. Ystyriai hi fod yna briodas berffaith rhwng yr alaw a'r geiriau a'r llais, a rhaid bod y cyswllt cryf yma yn creu unoliaeth eneiniedig.

Daeth terfyn i rawd Ann Hughes yn fuan iawn ar ôl y seiad nodedig yma. Dernyn caled arall o'r hen fro wedi mynd i ddifancoll, heb neb yn dod i lanw esgidiau yr hen gymeriadau gwreiddiol. Carai Leila Megane yr hen deip lliwgar a tholciog yma yn fawr, ac yr oedd wrth ei bodd yn eu dynwared ar awr ysgafn. Ond mwy na hyn, medrodd blethu eu nodweddion dihafal i'w chynysgaeth greadigol ei hun, a chyfoethogi dawn ei chelfyddyd a'i hamgyffrediad synhwyrus o'i hymwneud â'r personoliaethau hyn. Credai'n gadarn mai amhosibl ffugio priodoleddau'r natur ddynol, megis hiraeth, tosturi, cydymdeimlad, hapusrwydd, cas neu falais heb eu profi'n ddwfn, neu sugno o'u hawyrgylch. Wrth ganolbwyntio'n llwyr ar hyn gallodd dynnu hanfod y peth byw i'w chrefft.

Pwysleisiwyd iddi gan ei hathrawon y fantais fawr o ddarllen, myfyrio, a dysgu'n drwyadl y geiriau a ganai, er mwyn llwyr ddeall eu neges. Yn ddieithriad felly, canfyddai gnewyllyn yr hyn a fynnai'r bardd neu'r llenor ei fynegi, a gyda'i phrofiad a'i deallusrwydd o'i chyd-ddynion llwyddai hithau i gyfieithu'r sylwedd ar gân. Un peth oedd canu arwynebol a diamcan, ond swyddogaeth arall oedd rhoi gwefr bywyd ac angerdd mewn datganiad. A hyn oedd yn ennill ac yn llorio pobl. Am iddi gysegru pob dawn a chynneddf o'i heiddo y cerddodd Leila Megane i galonnau'r miloedd a fu'n gwrando arni.

Llundain a Thŷ'n-y-Bryn

Er bod awyr iach Eryri yn ffeind ac yn garedig i Leila Megane, daeth yr alwad anochel i droi'n ôl i Lundain. Yno yr oedd y cyfleusterau a'r golud; dinas Llundain oedd meca'r byd artistig. Trigai llawer o'i ffrindiau yno, rhai ohonynt ym myd y canu ac eraill ym myd y theatr; pobl fel William Boosey, Ernest Lush, Nellie Melba, Edith Evans, Sybil Thorndike, Syr Henry Wood, Percy Pitt, Syr Edward Elgar ac eraill. Yr oedd yn hawdd trefnu cyngherddau a chael nawdd parod yr hen gyfeillion a fuasai'n dystion o'i rhwysg a'i bri cynnar. Unwedd y tân a'r wefr yn y Gymraes o hyd, a thrwy ganiatâd y B.B.C. cafwyd eto gyngherddau cofiadwy iawn.

Tua'r adeg hon, ddiwedd y tri degau, daeth i gyffyrddiad â Benno Elkan, y cerflunydd, a derbyniodd wahoddiad ganddo i'w stiwdio i weld ei greadigaethau. Yr oedd wedi gwneud canhwyllbren enfawr o bres, ac ar bob cainc wedi cerfio patriarch o'r Hen Destament. Galwai ef y darn yn 'simffoni Iddewig'. Hoffodd hi hon yn fawr, gan awgrymu mai lle delfrydol i'w harddangos yn ei gogoniant fyddai Abaty Westminster. Lluniodd Elkan bartner i'r ganhwyllbren hon gyda ffigur o'r Testament Newydd ar bob cainc, a Mair Forwyn yn y canol, ac ym mhen ychydig amser wedyn gyrrodd y newydd i Megane fod y ddwy ganhwyllbren wedi eu cyflwyno i'r Abaty gan bwrcaswr dienw!

Cyffesodd y cerflunydd wrthi mai ei ddymuniad mwyaf ef oedd gwneud cerflun o'r cerddor byd-enwog, Toscanini, yn arwain cerddorfa, ond gwyddai mai amhosibl oedd cael cip digon agos o'r athrylith hwnnw wrth ei waith. Ysgrifennodd hithau at un o'i ffrindiau yn y Gorfforaeth Ddarlledu, gyda'r canlyniad i Elkan gael caniatâd i ddefnyddio un o'r ystafelloedd bychain wrth ochr llwyfan Neuadd y Frenhines. Oddi yno medrai wylio pob smic a symudiad o eiddo Toscanini, ac yn y diwedd lunio campwaith a sylweddoli breuddwyd.

Yn ystod y gaeafau, yr oedd niwloedd y Brifddinas yn dra niweidiol i wddf Megane, ac ymwelai â ffrindiau yn y wlad o gwmpas fel dihangfa. Bu'n aros gyda Miss Margaret Lindsay Williams, Mrs. Philip Foster, ffrind mawr i Melba, a chyda Mr. a Mrs. Turner. Yr oedd yna berthynas rhwng y Turneriaid a Lloyd Edwards, Nanhoron, ger Pwllheli. Trigent hwy yn Stoke Rochford, swydd Lincoln, hen gartref Syr Isaac Newton, ac ar dir y plas roedd cerflun wedi ei osod i gofio'r gwyddonydd. Yn y neuadd safai hen gadair o bren y goeden lle tyfodd yr afal enwog, a thyfai coed o doriadau a gymerwyd o'r goeden wreiddiol yn y berllan. Ond nid oedd deddf disgyrchiant yn diddori'r gantores!

Yr oedd crwydro o gwmpas plas Arglwydd Neville yn Tunbridge Wells yn fwy at ei chwaeth. Dotiai ar y darluniau yn yr oriel o hen gyn-feistri'r lle; darluniau o'r hen deulu yng ngwisgoedd eu hysblander. Safodd yn syn gan edmygu wyneb un ohonynt, ac eglurodd ei gwestywr mai'r gŵr hwnnw oedd un o'r barnwyr yn achos Ann Boleyn, ac iddo weithio'n galed i geisio achub ei bywyd. Ac yn ôl yr hanes, meddai'r Frenhines gondemniedig wrtho, "Diolch o galon i chwi, gan i chwi wneud eich gorau i achub fy ngwddf bychan i." A thynnodd ei chadwyn berlau oddi ar ei gwddf ei hun a'i chau am wddf y barnwr, gan ychwanegu, "Cadwch hon i gofio am yr hyn a wnaethoch i mi." Ni ryfeddodd Megane o glywed fod y barnwr hwn o waed Cymreig.

Bu hi a'i gŵr yn treulio aml ben-wythnos difyr gyda Mr. a Mrs. David Lloyd George yn Churt, eu cartref yn Surrey. Hoffai Lloyd George ddianc yma er mwyn gallu ymlacio'n llwyr a'i fwynhau ei hun yn yr awyr agored. Yn y gwraidd yr oedd llawer o nodweddion mab y mynydd ynddo.

O'u cartref hwy yn y ddinas, Tŷ Dwyfor, yr aeth Leila Megane i Blas Buckingham i'w chyflwyno i'r Llys Brenhinol gan Mrs. Lloyd George ym Mehefin 1933. Ar yr achlysur hwn gwisgai ffrog laes o sidan gwyn gyda brodwaith euraid yn ei haddurno. Cynlluniwyd hon a'i gwneuthur gan ei chwaer Siân, ac fe'i cedwir yn awr gan wyres iddi yn Salt Lake City, Utah. Oherwydd gwaeledd nid oedd y Brenin, Ei Fawrhydi Siôr V, yn bresennol, ond yr oedd y Frenhines Mari yn ei gynrychioli, ac yn edrych mor urddasol ag arfer. Wrth ei hochr safai Dug Caint. Rhaid fod wyneb Megane yn gyfarwydd i'r Frenhines canys buasai'n gwrando arni yn canu lawer tro.

Hoffai Megane Mrs. Lloyd George yn fawr, yn enwedig am ei dull cartrefol a naturiol. Nid oedd troi ymhlith y bobl fawr wedi amharu ar y nodweddion hyn yn ei natur. Carai Gymru a'i phobl yn angerddol, a gofalai'n annwyl am ei theulu. Yr oedd yn well ganddi fod gartref yng Nghricieth nag yn Llundain.

Nid oedd awyr y ddinas yn cytuno â Megane fel yn y dyddiau a fu. Cofiai na chynhyrfid hi o gwbl gan niwl na thywydd mawr pan fyddai'n astudio dan Syr George Power yn y tymor cynnar hwnnw, ond yr oedd blynyddoedd o ganu cyson erbyn hyn yn dechrau gadael eu hôl arni, a chofiai fel yr oedd de Reszke yn sôn pa mor dyner oedd organau a llinynnau'r llais.

Yr oedd ef ysywaeth wedi marw erbyn hyn, a hithau'n teimlo fel pe bai wedi colli perthynas agos iawn, fel pe claddesid darn helaeth o'i bywyd hi ei hunan gydag ef. Y fath athro! Y cyfaill anwylaf! Gofidiai dros Marie de Reszke, canys gwyddai mor agos oedd y ddau i'w gilydd, a bod y cymeriad cryfaf wedi ei gipio gyntaf. Y druanes fach!

Ym mis Medi 1939 suddodd Prydain Fawr i argyfwng rhyfel, ac megis dros nos troes Llundain yn ddinas ddistryw. Dechreuodd y bomio, a pharhaodd yn ddidrugaredd. A bu rhaid i Leila Megane a'r teulu ffoi am nodded i Ogledd Cymru. Tywynnai haul Gorffennaf 1940 ar y noddedigion yn cyrraedd cysgod bwthyn Tŷ'n-y-bryn ym Mhentrefoelas. Felysed y tawelwch gwledig wedi swˆm y storm a'i chur, ac mor hapus eu meddwl fod ganddynt le i ymguddio rhag yr alanas.

Mor wahanol oedd y rhyfel hwn i ryfel 1914-1918. Er i Leila Megane fyw yn Ffrainc drwy gydol honno, ni phrofodd flaenfin y gyflafan fel y tro hwn. A gwyddai teulu bach Tŷ'n-y-bryn mor ffodus oeddynt fod drws agored ac aelwyd iddynt yng Nghymru Fach,—Leila Megane, Osborne Roberts, Isaura, y ddau gorgi, a Spats y gath. Brafied oedd noswylio heb i'r cwsg gael ei rwygo gan dwrw awyrennau'r gelyn uwchben, a'r bomiau'n disgyn yn ddiatal. Ac ar ôl bob rhuthr rhaid oedd wynebu'r yfory dychrynllyd,—yfory yn llawn tyllau, rhwbel, mwg ac arogl dinistr. Ni wyddai neb pa adeilad a fyddai nesaf, pa gartref a chwelid, ac yr oedd byw dan yr ofn yma bob munud awr yn ddigon i lethu'r dewraf. Mae'n wir y clywid grŵn y bomwyr mawr ym Mhentrefoelas yn pasio yn y pellter fry ar eu gwib ddinistriol, ond nid oedd hynny yr un fath. Yr oedd diogelwch yn Nhŷ'n-y-bryn, a bywyd y gymdogaeth fwy neu lai yn mynd ymlaen yn ei ddiniweidrwydd gwledig. Cyfnod rhyfedd ac afreal ar y wlad ydoedd er hynny. Cyfnod o chwalu, gwasgaru a chau. Ni fu bywyd neb yn union yr un fath wedyn.

Rhaid oedd i bob un atebol roi ysgwydd ei ddyletswydd i'w wlad, ac aeth Osborne Roberts i weithio i Swyddfa Fwyd ym Mae Colwyn. Nid oedd y ffaith ei bod yn gantores broffesiynol yn fawr o help i Leila Megane yn y cyfamser, ac ym mlynyddoedd ei chanol oed nid oedd ganddi'r egni na'r awydd i fentro'i bywyd i ddifyrru'r lluoedd arfog fel y gwnaethai yn y Rhyfel Byd Cyntaf. Rhaid oedd bodloni ar chwarae'i rhan gyffredin fel gwraig tŷ, ond ni pheidiodd â mynd o gwmpas ar gais yn awr ac eilwaith. Gresynai yn fawr nad oedd gwybodaeth y mwyafrif o'i gwrandawyr yn ddigon i fedru deall elfennau sylfaenol canu a cherddoriaeth. Âi o amgylch yr ysgolion i geisio goleuo'r plant yn y gelfyddyd, ond nis cefnogwyd yn hyn gan awdurdod canolog, ac amhosibl oedd dal ati.

Bu am ysbaid yn cynnal dosbarth yn y pentref, ond 'roedd y gymdogaeth yn foel a gwasgaredig, a moddion trafnidiaeth yn brin. Ni ellid disgwyl llwyddiant blodeuog, a rhaid oedd aros i'r wlad a'r gwledydd ddychwelyd i gyflwr o normalrwydd.

Yn y cyfamser enillodd Leila Megane lu o ffrindiau annwyl a theyrngar,—pobl fel Nansi Richards (Telynores Maldwyn), Dafydd Richards, Ysbyty Ifan, Evan a Maggie Roberts Pentrefoelas, a Ritchie Thomas, Penmachno. Hyhi ac Osborne Roberts a roes draed Richie Thomas ar risiau sicr ysgol y gerddoriaeth wir. Dan eu hyfforddiant hwy cipiodd y Ruban Glas yn yr Eisteddfod Genedlaethol, ac oddi ar hynny mae ei lais tenor hyfryd wedi swyno'r cannoedd mewn cyngherddau a thrwy ei recordiau, fel 'Pwy fydd yma 'mhen can mlynedd', a 'Hen Rebel fel fi'. Llwyddodd Leila Megane i drosglwyddo, i raddau, fesur o'r wefr anorthrech i felodi llais y tenor diymffrost hwn.

Nid oedd byw yn y bwthyn heb ei funudau aruchel. Diangof y noson gerdd honno a gafwyd yno gyda'r cyfeillion a enwyd a ddaeth ynghyd i ganu i barti o geraint y diweddar, erbyn hyn, Iarll Dwyfor. Daethai'r Iarlles gyda'i ffrindiau i ymweld â chapel y Bedyddwyr, a oedd mwyach yn furddun, ar ael y bryn ger Penmachno, lle y dywedir i Lloyd George draddodi ei unig bregeth. Hwyrnos o Fedi ydoedd, ac yr oedd llewyrch y lleuad lawn yn chwarae rhwng cysgodion bryniau'r Gylchedd o flaen y tŷ. Noson i gyffroi'r bardd yn enaid dyn. Soniwyd yn hir mewn sgwrs a llythyr am hud a lledrith yr hwyrnos hon.

Daeth y Rhyfel i'w derfyn, ac yn araf deg dechreuodd y wlad ymysgwyd o'r hunllef. O un i un dychwelodd ei meibion a'i merched o bedwar ban byd, rhai o'r lluoedd arfog ac amryw o wersylloedd carchar y gelyn. Eithr mwy trist na thristwch, ni ddaeth llawer un yn ôl o gwbl i droedio daear ei famfro.

Ym mis Tachwedd 1945 gofynnwyd i Leila Megane gynnal cyngerdd ym Mhwllheli tuag at Gronfa Croeso Gartref i'r bechgyn a'r genethod. Addawodd hithau a phenderfynu ei droi yn gyngerdd ffarwel, ar ei hymddangosiad cyhoeddus olaf hi fel cantores yn y dref. Cyd-ddigwyddiad hapus oedd mai Mr. R. O. Jones a arweiniai'r côr, fel yn y cyngerdd hwnnw gynt a roesai ar ei dychweliad cyntaf o Ffrainc.

Yr oedd Neuadd y Dref yn orlawn, ac wrth gyfarch y dorf soniodd y Maer, Mr. Cornelius Roberts, fel yr oedd Thomas Jones tad Leila Megane, wedi gofyn caniatâd i eistedd ar y grisiau i wrando arni'n derbyn gwersi ymarfer llais gan Mr. John Williams, Caernarfon. Uwch ben siop gig Cornelius Roberts, fel y cofiwn, y cafodd hi ei dysg cyntaf ym myd y canu.

Yn ôl ei thystiolaeth hi ei hun cafodd brofiad rhyfedd a newydd y tro hwn wrth ganu ei chân olaf, 'Y Nefoedd', gyda'r dorf yn cyd-uno â hi. Yn sydyn, disgynnodd rhyw fath o fagddu drosti, ac am foment ni fedrai weld y gynulleidfa, na chofio'r geiriau. O'i sedd wrth y piano syllai ei gŵr arni'n syfrdan a mud. Yr hyn a welodd ac a deimlodd hi oedd presenoldeb llu o gyfeillion ymadawedig o Bwllheli, ac yn eu plith fab y Maer, Willie Dicks, ac Edern Jones. Profiad anfarwol, pa ystyr bynnag a roddwn iddo.

Rhoddodd hi amryw o'r cyngherddau ffarwel yma, a phrofodd ynddynt rywbeth mwy na'r gwerthfawrogiad hengyfarwydd; profodd ryw ymateb dyfnach, mwy ysbrydoledig a oresgynnai frwdfrydedd gwyllt ac ysgubol y blynyddoedd gynt. Troes i ganu mwy o'r caneuon gwerin syml, a'u canu gyda'i phrofiad eang o ddelio â'r clasuron.

Un o'i chynghorion mwyaf i berson ieuanc a fentrai i fyd cerdd o ddifrif oedd iddo'i drwytho ei hun yn drylwyr yng nghamp a gofynion canu uwchraddol, ac iddo gadw bob amser mewn cof mai po fwyaf o addysg a gaiff dyn mwyaf y daw i sylweddoli gyn lleied a ŵyr o'r wyddor yn y diwedd. Nid oes berffeithrwydd mewn celfyddyd.

PENNOD 22

Tua'r Lle Bu Dechrau'r Daith

Gyda sydynrwydd syfrdanol tarawyd Osborne Roberts yn wael ym Mehefin 1947. Yr oedd wedi ei wahodd am y pumed waith i feirniadu yn Eisteddfod Lewis, Lerpwl, gŵyl a gyfrifid ar yr un tir â'r Eisteddfodau Taleithiol gorau, a'i safon yn gydradd. Wrth edrych yn ôl cofiai Megane nad oedd Osborne yn mynd i'r daith gyda'r un eiddgarwch ag arfer y tro hwn. Pan oedd yn barod i gychwyn, oedai wrth y piano gan daro rhai cordiau o'i gyfansoddiad diweddaraf, fel pe bai'n loes ganddo'i ddatgysylltu ei hun oddi wrth yr offeryn.

Noson olaf yr Eisteddfod, cerddodd o'r llwyfan i Westy'r Adelphi lle y cafodd Megane ef yn ddiweddarach mewn cyflwr gresynus. Cludwyd ef adref i'w hoff Dŷ'n-y-bryn, yna i Ysbyty Dinbych ac oddi yno i Ysbyty Wrecsam. Cafodd ddwy driniaeth lawfeddygol, ond collodd y dydd Mehefin 22, 1948.

Amddifadwyd Cymru o un o'i charedigion, beirniad o fri a chyfansoddwr poblogaidd. Collodd Leila Megane gymar anwylaf a phartner llawn ym myd y gân. Cydgyfranogent o'r un diddordeb mawr. Wedi priodi cymerai ef ran flaenllaw yn ei chyngherddau, a gwasanaethai wrth yr organ neu'r piano, neu arwain y côr neu'r gerddorfa fel y byddai'r galw, gan mor hyblyg oedd ei ddawn. At hyn cyfansoddai ganeuon addas i gyhydedd llais Megane, neu drefnu'r cyfeiliant i bwysleisio mireinder y llais a'i olud gloyw.

Rhoddai hi glod dyladwy bob amser i'r gwahanol rai a fu'n cyfeilio iddi, a thros y blynyddoedd cafodd wasanaeth y personau mwyaf llachar yn y deyrnas. Ystyriai hi Osborne ar yr un lefel. Yr oedd yn ei ddeall yn llwyr, nes bod y gân a'r cyfeiliant yn ymdoddi'n un.

Yn ychwanegol at eu diddordeb mewn cerddoriaeth, 'roedd y ddau yn gredinwyr cryf mewn Ysbrydegaeth Cristionogol. Rhwymai'r cyd-deimlo hwn y ddau yn dynnach at ei gilydd, a dwysáu rhamant eu cyd-fyw. Yr oedd llawer o reddf y seicig yn

135

adeiladwaith natur Leila Megane erioed, ac amheuthun iddi oedd tramwy'r llwybrau disathr gydag enaid hoff cytûn. Yn ystod eu cyfnod yn Llundain cydfynychent gyfarfodydd Cymdeithas Ysbrydegwyr Marylebone yn fynych, a hoffent drin ac ymbalfalu yn nyfnderoedd y dirgelion dihysbydd. Bu'r gynneddf gyfriniol yma yn noddfa ac yn nerth iddi hi pan aeth ef i'r 'ynys dawel dros y lli'.

Yr oedd yn ddealltwriaeth rhwng y ddau y byddai i'r sawl a groesai gyntaf yrru neges i'r llall fel prawf perffaith fod bywyd yn parhau ar ffurf a graddfa uwch. A phan oedd hi yng nghwmni dau o'i ffrindiau ddiwrnod wedi marw Osborne, clybu Megane fiwsig organ yn canu'r ddwy linell:

> Ymddiriedaf yn dy allu,
> Mawr yw'r gwaith a wnest erioed.

Adnabu arddull, amseriad, a chyffyrddiad Osborne ar amrantiad. Yr oedd ei neges yn y geiriau, a phrawf iddi hi ei fod yn fiwsig byd arall oedd y ffaith fod y cywair octefau lawer yn uwch na seiniau daear. Ni chlywodd ei chwmni yr un nodyn, ac edrychodd y ddau gyfaill yn syn arni pan adroddodd brofiad uchel y foment wrthynt:

> Dau danbaid enaid unol—ddoe nofiodd
>   Hen afon angeuol;
> Och, un a aeth i'w chanol
> O gyrraedd y waedd o'r ddôl.

> A ydyw'n wir y daw'n ôl—i ryw gwr
>   O'r gorwel ysbrydol?
> Ti gymar hawddgar ei gôl,
> Agor ryw ddôr ddaearol.

Wedi colli Osborne machludodd haul Leila Megane i raddau helaeth iawn, ac yng ngoleuni'r machlud gwelodd mai doniau benthyg yw swyn a harddwch, ac nad yw llwyddiant ond prawf o allu arbennig. Gwelodd hefyd mai treialon a phrofedigaethau bywyd sydd yn puro ac yn profi personoliaeth. Gyda threigl amser, dyfnach a llwyrach ei chred mai melodedd llais yw'r dirgryniad uchaf a pherffeithiaf rhwng cyflwr yn y byd hwn a'r byd arall.

Collodd bro Pentrefoelas ei swyn a'i hatyniad iddi wedi colli Osborne. Ni wisgai'r Ffridd tu cefn y tŷ, a bryniau'r Gylchedd, yr un gwisgoedd lliwus â chynt. Yr oedd llymder yn yr awel, oernadai'r gwynt, ymrithiai dieithrwch yn niwloedd Calan Gaeaf, a chuddiai brad ym marrug Ionawr. Trwynai ei cherbyd bach glas yn fynych tua Bangor a Chaernarfon, ac yn amlach fyth i Bwllheli. Adnewyddai drwyddi yn awelon iach Bae Ceredigion.

Olwynodd y blynyddoedd heibio'n ddidramgwydd. Ond yng ngwanwyn 1951 daeth Leila Megane yn sydyn ar draws croesffordd arall yn ei bywyd.

Cynhelid Wythnos Gŵyl Ddrama yn Neuadd y Dref Pwllheli adeg y Pasg. Cododd hithau diced ac edrych ymlaen am wledd. Cyfarfu yno â hen gydymaith bore oes, tenorydd campus wedi canu ar yr un llwyfan â hi yng nghyngherddau'r fro ers talwm. Yr oedd Mr. W. J. Hughes, a fu'n gweithio yn Lerpwl am flynyddoedd, wedi ymddeol bellach, ac yn byw ar ei ben ei hun ar gyrion pentref Efailnewydd gerllaw Pwllheli. Nid oeddynt wedi cyfarfod ers blynyddoedd maith, ac aeth yn ymgom felys rhyngddynt. Daeth yr hen fflam yn ôl i lygaid Megane, a rhyw sioncrwydd ifanc i'w cherddediad. Cyn diwedd yr haf yng nghapel M.C. Llanrwst priodwyd y ddau.

Rhoes hi ffarwél am byth i Dŷ'n-y-bryn, ac ymgartrefu ym Melin Rhyd-hir. Mwyach yr oedd hi yn ôl yn ei chynefin, nid nepell o'r môr a'i awel hallt, yn ôl yn yr hen dref annwyl y breuddwydiodd gymaint amdani yn ei halltudiaeth.

Troes ei phresenoldeb a'i dychymyg creadigol ac artistig y Felin yn blasty bychan, a chadwai W. J. Hughes yr ardd a'r lawnt yn eithriadol o daclus. Yn wir, yn y gwanwyn a'r haf, gyda'r blodau a'r gwrychoedd ffansi edrychai fel darn o baradwys, gyda hen afon y Rhyd-hir yn tincial islaw fel Pibau Pan.

Tawodd y sôn am Leila Megane fel ffigur cyhoeddus. Darfu ei llewyrch megis seren wib. Eithr ymloywai megis o'r tywyllwch ar rai adegau. Un o'r achlysuron prin oedd hwnnw pan gydsyniodd ddod i Gapel Moreia, Caernarfon, i ddathlu ailagor yr organ ar ôl ei hatgyweirio ym 1952.

Trefnodd ymlaen llaw gyda'r organydd, G. Peleg Williams,

i ganu'r emyn, 'Dyma gariad fel y moroedd' ar y dôn 'Pennant' o waith Osborne Roberts. I greu golygfa ddramatig, trefnwyd i'r organ chwarae'r dechreuad ac iddi hithau ddod i mewn i'r capel trwy'r drws cefn a cherdded i lawr ar hyd y llwybr de gan ganu llinell gyntaf yr emyn. Troes y gynulleidfa, tua deuddeg cant o bobl, yn ôl i syllu'n syn arni. Erbyn dod cyn belled â grisiau'r pulpud yr oedd wedi cyrraedd y geiriau, 'Pwy all beidio â chofio amdano' ac erbyn esgyn i'r pulpud ac wynebu'r dyrfa, clywyd yn llifeirio allan ac yn llanw'r cysegr, y geiriau 'Tra bo'r nefoedd wen yn bod'. Ailganodd gan amneidio ar y gwrandawyr syfrdan i ymuno â hi. Cydgododd y gynulleidfa fel un gŵr, a morio ym melyster y gân nes aeth yn orfoledd. Mae sôn am y noson yn aros o hyd yng Nghaernarfon. Leila Megane oedd yma yng ngrym ei hen ogoniant, a swyn ei chyfaredd rhyfeddol wedi cynhyrfu'r bobl i'w gwaelodion.

> Eneidiau'n troi a Duw'n trin
> Agoriad calon gwerin.

Pa eglurhad a roddwn ar hyn? Ai artist yn deall ei chrefft oedd yma, ynteu personoliaeth ymroddedig yn tynnu ar y rhaffau tragwyddol?

Ymwelodd â Rhufain eto cyn diwedd y pumdegau. Crefai ei chyfeilles, Miss Marion Kemp, am ei chwmni. Er gohebu'n gyson hiraethai'r ddwy am weld ei gilydd a chael blasu'r hen gymdeithas. Yr oedd Miss Kemp mewn gwth o oedran erbyn hyn, ond yn dal i fwynhau bywyd hyd yr ymylon, a'i hysbryd a'i synhwyrau mor hoyw ag erioed. Mor garlamus y gwibiai'r dyddiau heibio, a chymaint o dir i'w dramwy a'i fanylu. Ar awr ffarwelio rhoed 'i'w barhau' ar ddiwedd y bennod, a gobaith dilyn y stori ymhellach pan ddeuai'r hen foneddiges hithau drosodd i Lundain. Yr oedd yn arferiad ganddi ymweld â Llundain yn achlysurol, a chedwid nifer o ystafelloedd at ei gwasanaeth yng Ngwesty Claridges.

Cynhaliwyd yr Eisteddfod Genedlaethol ym Mhwllheli yn 1955 ar yr un safle yn union â'r ŵyl ddeng mlynedd ar hugain ynghynt. Penderfynodd y Cyngor agor cronfa yn enw Leila Megane, gan danysgrifio can punt i'w chychwyn, tuag at

Leila Megane yn cyflwyno Gwobr Goffa Osborne Roberts (y Ruban Glas) i Mr. Elwyn Jones yn Eisteddfod Genedlaethol Llanrwst 1951

gynorthwyo bechgyn a merched Cymru i barhau gyda'u haddysg gerddorol. Gweithiodd hi'n ddygn o blaid hyn, ond fe'i dadrithiwyd yn fuan iawn. Byr yw cof y cyhoedd, ac ni wyddai'r ieuenctid yn eu harddegau pwy oedd Leila Megane. Eithr ni thorrodd ei chalon. Adwaenai'r natur ddynol yn rhy dda, ac yr oedd mawredd ei chymeriad uwchlaw digalondid.

Cadwodd ei hurddas a'i hunigoliaeth arbennig er cefnu ar y cylchoedd uchel a chyhoeddus. Cofiai'n barhaus un o gynghorion ei thad a de Reszke,—caiff pobl eu hadnabod a'u beirniadu oddi wrth eu ffrindiau a'r cwmni a gadwant. Mewn geiriau eraill, 'adar o'r unlliw ehedant i'r unlle'. O'r cychwyn bu hi'n ffodus yn ei chyfeillion, a buont yn ffyddlon iddi ar hyd y daith. Er nad oedd hi mwyach yn eilun y miloedd, nac yn gyfoethog o bethau'r byd hwn, gwyddent fod ganddi hi olud na all holl aur y byd ei bwrcasu, a gosodent hi ar bedestal uchel.

Nid oedd ar ôl mwy o hen deulu Tŷ'r Polîs ond hyhi, ei brawd ieuengaf, a'i chwaer yn America. Pedwar a gymerwyd a thri a adawyd. Treuliwyd wythnosau hyfryd pan ddaeth ei chwaer Siân drosodd yn haf 1959. Felysed oedd cydrannu o drysorau'r atgofion, cydgerdded yr hen lwybrau, a throi i Sir Fôn mewn ymchwil am eu gwreiddiau. Haf i'w gofio, a'i fendithion yn fil cyn i donnau Iwerydd eu gwahanu eilchwyl.

Yn yr hydref dilynol daeth neges o Lundain oddi wrth Marion Kemp yn gwahodd Leila Megane i aros ati. Yr oedd ffawd fel pe bai'n estyn ei fêl i leddfu ei hiraeth ar ôl ffarwelio â'i chwaer, ac yr oedd troi i dwrw a disgleirdeb y Brifddinas yn newid mawr iddi o dawelwch cefn gwlad.

Yn fuan wedi dychwelyd adref dirywiodd ei hiechyd, a chollodd ei hysbryd ei adlam arferol. Daeth y Nadolig, ond nid oedd ei thelyn mewn hwyl i fwynhau'r ŵyl fel yn y dyddiau gynt. Tybed a glywai hi sŵn traed y Medelwr Mawr yn nesáu? Yr oedd y fflam danbaid, olau, yn araf ddiffodd.

Distawodd y gân yn gynnar ddydd Sadwrn Ionawr 2il 1960 a hi ond yn wyth a thrigain oed. Amddifadwyd Cymru a'r byd o un o'r lleisiau cyfoethocaf a glywyd erioed. Leila Megane, brenhines y gân, personoliaeth ymroddedig, Cymraes i'r carn.